ミリタリーウェアの本

嶋﨑隆一郎

Contents

- 04 はじめに
- 06 Details Military
- 08 no.1 French F2 type Field Jacket
  フランス軍 F2タイプ フィールドジャケット p.36
- 10 no.2 M-51 type Field Parker
  M-51タイプ フィールドパーカー ボアライナーつき p.42
- 12 仕立てのこだわり
- 14 no.3 M-51 type Field Parker
  M-51タイプ フィールドパーカー ライナーつき p.42
- 16 no.4 NATO type Field Parker
  NATOタイプ フィールドパーカー ボアライナーつき p.50
- 18 no.5 N3-B type Flight Jacket
  N3-Bタイプ フライトジャケット 中わた入り p.58
- 20 no.6 N3-B type Flight Jacket
  N3-Bタイプ フライトジャケット 中わた入り p.58
- 22 フードのはなし
- 23 ポケットのはなし
- 24 no.7 M-65 type Field Jacket
  M-65タイプ フィールドジャケット p.68
- 26 no.8 M-65 type Field Jacket
  M-65タイプ フィールドジャケット p.68
- 28 no.9 MA-1 type Flight Jacket
  MA-1タイプ フライトジャケット p.74
- 30 Liner
  no.2&3 M-51タイプ フィールドパーカー ボアライナー p.47
  no.4 NATOタイプ フィールドパーカー ボアライナー p.56
- 32 How to Make

はじめに

ミリタリーウェアはファッションの世界では今や欠かせないデザインの要素になっています。ミリタリーという言葉は「軍隊」を表わす言葉で「戦争」を連想させるのですが、ファッションは戦争と反するもので「平和」の象徴だと思います。
今回、この本の作品はあくまでファッションとしてとらえたミリタリーウェアであって本物の軍服の再現ではありません。細かいところの仕様やカッティング、バランスなど本物の軍服そのものではなく現代的に少しだけ変えて、作品名も○○タイプという表記にしています。また、この本の型紙はユニセックス対応のパターンで作成しているので多くの女性のかたがたにも仕立ててもらえるようにSとMはレディスサイズで作成し、Lのみメンズ対応というサイズ展開にしています。ミリタリーウェアはパーツが多かったり仕様が普通のカジュアル服より難しかったりする部分が多いですが、ポケットやフード、ライナーの作り方などはバリエーションを作るときに参考になると思いますのでぜひチャレンジしてみてください。

Details Military

ミリタリーウェアの特徴として、普通のカジュアルウェアとは異なるディテールや、頑丈なパーツ類や無骨な生地、太い糸のステッチなどがあげられるでしょう。もちろん色も独特のグリーン系やカーキ系の色がつけられていてそれにはすべて意味があるのです。本物のミリタリーウェアは洋服の機能という面から見るととても機能的な要素が多く、一見デザインだけのように見えるディテールやパーツにも一つ一つすべて理由があって普通と違う変わった形の袖やフードの大きさ、ポケットの形状などもよく見ていくとうなずけるところがとても多い。ミリタリーウェアのデザインはすべてに理由があり、それを便利と思える環境や場面があったのではと思います。しかし、ミリタリーをファッションとしてとらえた場合、それは不格好であり、バランスが悪かったりします。この本ではミリタリーウェアの機能的な部分は残しつつもファッションということを意識してモダナイズしています。

no. 1

French F2 type Field Jacket

フランス軍 F2タイプ フィールドジャケット

このモデルはパリの蚤の市で見つけた古着を原型として作成しました。特徴は両胸にコイルファスナーのポケットがつき(p.02)、腰にはドットボタンどめのフラップポケットがつきます。フロントは比翼仕立てで前身頃の上前側には風や砂の侵入を防ぐ風よけ布がついているのも特徴です。作品は何度も洗って古着風の味を出した仕上げ方法をとっています。作り方 p.36

no.2

M-51 type Field Parker

M-51タイプ
フィールドパーカー
ボアライナーつき

大きめのフードに豪華なラクーンファーのついたフィールドコート。一枚仕立てで着脱式のボアライナー（p.30）を装備しているので寒い時期でも着られます（p.12）。防寒対策にフード、ウエスト、裾にひもが入っているのでぎゅっと絞ることも。裾はフィッシュテイルという独特な形状を持っているのもこのモデルの特徴です。作り方 p.42

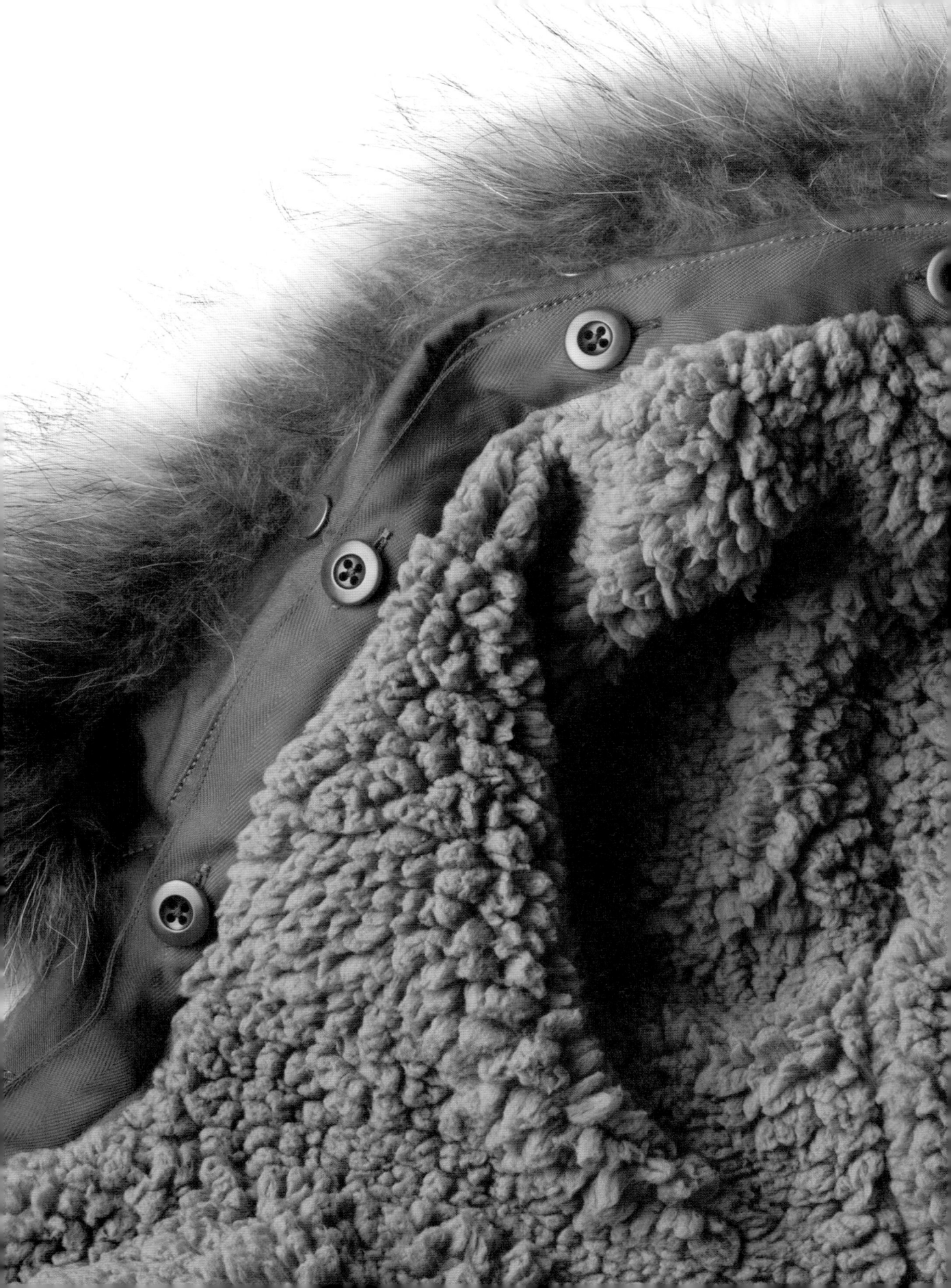

仕立てのこだわり

僕がミリタリー物を仕立てるうえで意識している点ですが、特に重要なのがステッチ糸です。20番手や30番手などの太番手の糸を3センチ間に7針〜9針の運針目で縫うと全く表情が変わります。
通常ステッチ糸は50番手を使用されるかたが多いと思いますがステッチ糸を太くするだけで仕上りが断然格好よくなり、洗った時もパッカリング（縫い縮みやひきつれ）がいい感じで出てきます。
また副資材など細かなパーツにもこだわりを持つといいと思います。僕はファスナーやボタンなどは本物のミリタリーウェアについているものに近いタイプを探して使っています。
そして洗い加工による「風合い出し」ですが、ハードな生地を使うミリタリーウェアは一度や二度家庭洗濯をしたくらいでは全く表情が変わらないので洗濯機でとにかく何度も何度も洗い込みます。そうするとだんだんとくたっとして古着風の味が出てきます。
また、仕立てる生地も自分なりに好みでのせ替えてみてオリジナルの一着を仕立ててみるのも楽しいと思います。

no.3

M-51 type
Field Parker

M-51タイプ
フィールドパーカー
ライナーつき

no.2と同じデザインですが防寒用のフードファーとライナーを取り外すことで春先や秋口にも対応できます。このコートは1979年のイギリス映画「さらば青春の光」でもモッズたちが好んで着ていた通称「モッズパーカー」をイメージしています。もともとの原型のM-51型は全体的にシルエットが大きめですがこの本では普通に着られるようにボリューム感は抑えぎみにしています。p.30のライナーをつけることもできます。作り方 p.42

NATO type Field Parker
NATOタイプ フィールドパーカー ボアライナーつき

no.4

しっかりとしたコットンの厚手生地で仕立てた4つのフラップポケット、フードつきのデザインのフィールドコートです。後ろ身頃のウエストにはゴムテープが入っていて、ボタンで調節が可能です。特徴として防寒対策のボアライナー(p.31)を装着していますが取り外して着用することもできます。仕上げはかなり洗い込んで古着風の仕上げにしています。作り方 p.50

no. 5

N3-B type
Flight Jacket

N3-Bタイプ
フライトジャケット 中わた入り

本物に近いヘビーウェイトのナイロンツイルで総裏つきで保温性のある中わたを入れて仕立てています。大きめのフードの裏側は暖かいボア素材で切り替え、フード口に取り外しのできるボリューミーなラクーンファーをつけています（p.04）。ナイロン素材は縫製時にパッカリング（縫い縮みやひきつれ）が起きやすいですがあえてそれも味として気にせずに仕立ててみたらいいんじゃないかと思います。作り方 p.58

no.6
N3-B type Flight Jacket
N3-Bタイプ フライトジャケット 中わた入り

no.5と同型ですがこちらはウール地で仕立ててシックな雰囲気に。このモデルはパーツの作りからみて極寒状態を想定していると考えられます。ふかふかのファーや袖口のリブ、胸ポケットにはドットボタンが2個ついて寒気の侵入を防ぐための工夫がしてあります。フロントは大きめのボタンをブラケットのループでとめる方式で、厚手の手袋をしていてもあけやすくしています。作り方 p.58

(no.4)

フードのはなし

ミリタリーウェアで特徴的なディテールとして様々な形状のフードがあります。フードは頭部を寒さや雨、雪などから保護する目的のパーツですが、ミリタリーウェアのフードは兵士がヘルメットをかぶった上から更にかぶったりするのでかなり大きめの設定のものが多かったりします。また、フードを立体的に仕立てるためのカッティングもモデルによって様々で、その理由は生地の取り都合をよくするための構造線であったり、頭部にフィットさせるためだったり、兵士がフードを使用する環境を考慮して設計されたものだと思います。この本ではフードからファーパーツが取り外しできるもの、フードを収納できるものなど4種類のフードのパターンがあります。

(no.8)

ポケットのはなし

ミリタリーウェアのポケットはとても機能的で、大容量なものが多いのが特徴です。本来は手袋をしても物が取れるようにポケット口が大きめの設定だったり、外部からの雨や砂ぼこりなどからの侵入を防ぐためにフラップやファスナーでポケット口をカバーしているもの、ポケットというよりはハンドウォーマーとして手を暖める機能のものなどバリエーションが豊富です。比翼ボタンどめフラップポケット、ドットボタンどめ片玉縁ポケット、フラップつきパッチポケット、両玉縁ファスナーポケット、片玉縁フラップポケット、フラップつきまちつきパッチポケット、ファスナーつきまちつきポケットなどこの本では7種類のポケットの作り方を解説しています。

no. 7

M-65 type Field Jacket

M-65タイプ フィールドジャケット

原型は大きめの胸ポケット、フードが収納された衿、独特の形状の袖口などが特徴ですが、この作品はバランスを見直して全体的にスリムなフィット感にしています。袖口のカフスは手を保護するため三角型をしていて普段は内側に折り返して収納できます。衿のファスナーを開けると中にはタフタのフードが収納されています（p.06）。生地はコットンの横朱子織り地で仕立てています。作り方 p.68

no.8

M-65 type Field Jacket

M-65タイプ フィールドジャケット

no.7と同型ですが、こちらはかつらぎという厚手のコットンで仕立てています。衿のタブは面ファスナーで着脱できるようにしてあります。背中にはアクションプリーツをつけているので運動性が向上します。この作品は衿のタブと裏地の色を変えて少しだけモダンな配色にして、仕上げは何度も洗いをかけて古着風の仕上げにしています。作り方 p.68

MA-1 type Flight Jacket
MA-1タイプ フライトジャケット

no.9　ショート丈の中わたが入った防寒用のフライトジャケットです。左袖にはファスナーつきのシガレットポケットがつき、両脇にはドットボタンつきのフラップポケットがつき、風の侵入を防ぐため衿、袖口、裾にリブがついているデザインです。裏地がオレンジなのは単なるデザインではなく遭難時に裏返して着用することで発見率を上げるためとも言われています。作り方 p.74

Liner no.2 & 3

M-51タイプ
フィールドパーカー
ライナー

ミリタリーウェアのライナーは防寒を目的とした取り外し式のタイプがついているものが多いです。左のno.2のライナーは体にあたる面に保温性抜群のフリース地のボア生地を使い、本体側は防風性の高いポリエステルの裏布を使い温まった空気が外にもれ出さないような生地使いをしています。また、動きやすさを考慮して袖は中わたを裏地でサンドするように仕立て、袖下にも裏地で当て布をつけて滑りをよくしています。no.3は両面とも裏布です。作り方 p.47

Liner no.4

**NATOタイプ
フィールドパーカー
ボアライナー**

こちらのライナーも生地使いはno.2と同じですが袖口には風の侵入を防ぐようにリブをつけています。ライナーと本体とはフロントはボタンでとめてフードはドットボタンでとめるようにしていますが、少しでもずれてしまうとうまく組み合わないので作るときは合い印を目安にしてぴったりと合うように心がけてください。作り方 p.56

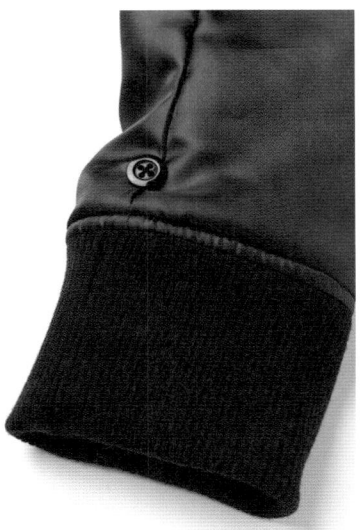

How to Make

この本は本物のミリタリーウェアと私が今までにデザインした様々なブランドで作ってきた服をベースに少しだけ縫製仕様やサイズやディテール、バランスを見直して普通に着られるようにしてあります。またミリタリーウェアによく見られるステッチのパッカリングなど本物のような味を出すためにあえてこの本では「いせ」や「ギャザー」の技法で本物になるべく近づけるようにしているところがあったり、着込んだような古着風のテーストを表現するために洗い込んだりと本来の持ち味に近づけるような工夫をしています。ミリタリーウェアはパーツが多く裁断が大変だったり、ステッチの箇所も多く縫製するところも多いので一苦労ですが、ステッチの箇所を一つでも省いてしまったりするとなんか味というか雰囲気がミリタリーの持つ強い部分が弱くなってしまいますのでカジュアル感を楽しみたいというかたはきちんと作るといいと思います。でも、ファッションは自由です。本物のミリタリーウェアで使う生地は厚いコットンや硬いナイロン素材ですが、作るかたのセンスでいろいろと生地を替えたり、配色ステッチにしたりしてもおもしろいと思います。工程が多くて難しいと思わず、楽しんで作ってください。

Before beginning to make it
作り始める前に

サイズについて

この本のパターンはユニセックス対応のサイズ表をもとに作成しています。S、Mがレディスサイズ、Lのみメンズサイズに対応しています。ただ、大きいゆったりしたサイズで着用したいかたは、メンズ対応のLサイズを利用してください。また、男性でも細身のかたや体にフィットさせたいかたは、S、Mサイズが利用できます。no.1〜no.9の各デザインの作り方ページには出来上り寸法を表記していますので、胸回りとヒップの両方の寸法を確認し、自分サイズにあてはまる大きいほうのサイズを選んでください。着丈や袖丈は、79ページの「着丈と袖丈の調整のしかた」を参考にしてください。袖幅はかなりタイトなシルエットですので、ライナーを着用する場合はタイト感がありますが、運動量に問題はありません。

●サイズ表（単位はcm）

名称	サイズ	S	M	L
ヌード寸法	身長	155〜160	160〜170	170〜180
	胸回り	86〜92	90〜96	94〜100
	ウエスト	74〜80	78〜84	82〜88

採寸のしかた

- 身長…はだしの状態で垂直な壁や柱などの近くに直立し、この状態で頭頂部に三角定規などを当てて印をつけ、床からその印までの寸法をはかります。

- 胸回り…レディスは下着をつけた状態で、バストの最も高いところ通るようにし、背中側が落ちないように注意しながら1周した寸法。メンズは両脇の腕のつけ根の下をぐるりと1周した寸法。どちらもメジャーが水平になるように注意しましょう。

- ウエスト…へそを基準にして、水平に1周はかります。

- ヒップ…腰のいちばん太いところを、水平に1周するようにはかります。腹部や大腿部が張っているかたは、ゆとりを持たせます。

- 袖丈…肩先のいちばん出ている骨（ショルダーポイント：SP）から親指のつけ根まではかります。

- ゆき丈…首の後ろ中央の出っぱった骨を基準（バックネックポイント：BNP）にし、肩先のショルダーポイント（SP）を通って親指のつけ根まではかります。

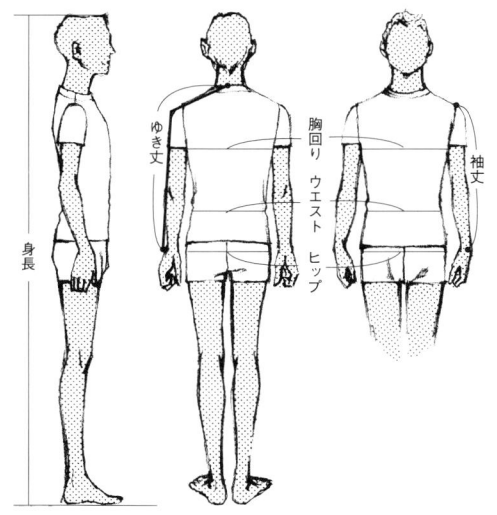
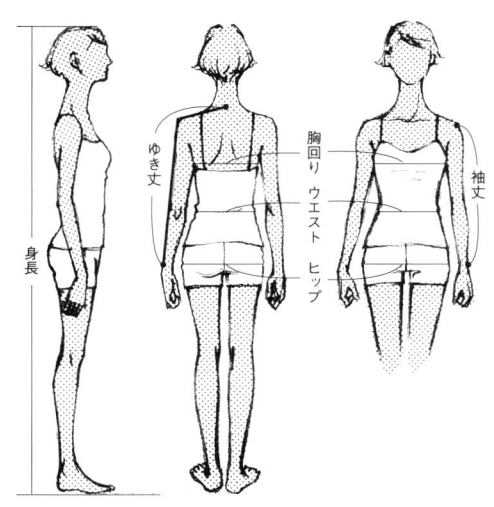

作品の作り方と
実物大パターンについて

ここで紹介した作品の作り方は36～78ページで解説しています。各デザインのパターンは付録の2枚の実物大パターンのA面、B面、C面、D面の中に入っています。各デザインともとても多くのパーツが必要です。今回は表布だけでなく裏布などもすべてのパターン線があります。紙面の都合で重ねて配置してありますので、ハトロン紙に写し取ってから使ってください。
まず必要なパターンの使用するサイズを間違えないように、マーカーなどでしるしておくと作業が楽です。
また、パターンの枚数も多いため、パーツの名称と布目線、パターンの表と裏、合い印は忘れずにしるします。

地直し

今回の作品は、木綿、ウール、ナイロンクロス、ボア、中わた、ファーとさまざまです。縫い進める工程のアイロンの温度や蒸気などの水分で縮む場合がありますから、裁断の前に地直しをします。それぞれの素材に合った地直しを簡単にご紹介します。

- 地直しA（木綿など）

裁断前に洗濯機で水洗いをし、陰干ししてアイロンをかけて生地自体のゆがみを整え、縮戎する。
仕立て上げた後の洗濯での形くずれを防ぐ。

- 地直しB（ウールなど）

布地全体に霧吹きで水分を与え、時間をおいてなじませてからスチームアイロンをかけて布目を整える。

- 地直しC（アクリルやナイロンの混紡など）

低温から中音の温度設定のドライアイロンで、布目を整える程度に。

素材に合った糸と針

〈no.1　フランス軍 F2タイプ フィールドジャケット〉
表布＝むら糸バックサテン（地直しA）
布の特徴…布の裏面がサテン特有の糸を布の一面に長く浮かせ朱子織りの生地のこと。サテンの光沢が抑えられ、後染めすることで独特な風合いがある丈夫な生地。
- 糸…シャッペスパン60番、30番（ステッチ用）
- 針…11番ミシン針、14番ミシン針（ステッチ用）

〈no.2＆3　M-51タイプ フィールドパーカー〉
no.2の表布＝ツイルワッシャー（地直しC）
布の特徴…たて糸がよこ糸の上を2、3本、よこ糸の下を1本、交差させた綾織り、斜文織りの生地にしわ加工を施して風合いを出したもの。
- 糸…シャッペスパン60番、30番（ステッチ用）
- 針…11番ミシン針、14番ミシン針（ステッチ用）

no.3の表布＝ウェザークロス（地直しA）
綿の平織りで防水性のある丈夫な生地。ポプリンやキャンバス地に防水加工をしたものでぱきっとした張りがあり、太いよこ畝があり織り目は詰まっている。
- 糸…シャッペスパン60番、30番（ステッチ用）
- 針…11番ミシン針、14番ミシン針（ステッチ用）

〈no.4　NATOタイプ フィールドパーカー〉
表布＝むら糸ブロークンツイル（地直しA）
布の特徴…ツイルの特徴でもある綾線を、一定の糸本数だけ反対方向にすることで綾線が現われないようにした布地。破れ斜文とも呼ばれる。
- 糸…シャッペスパン60番、30番（ステッチ用）
- 針…11番ミシン針、14番ミシン針（ステッチ用）

〈no.5＆6　N3-Bタイプ フライトジャケット 中わた入り〉
no.5の表布＝ナイロンツイル（地直しC）
布の特徴…たて糸がよこ糸の上を2、3本、よこ糸の下を1本、交差させて織られる綾織り、斜文織りの組織で、肉厚の丈夫な生地。
- 糸…シャッペスパン60番、30番（ステッチ用）
- 針…11番ミシン針、14番ミシン針（ステッチ用）

no.6の表布＝ウールサクソニー（地直しB）
布の特徴…羊毛で織った柔らかい手触りの紡毛織物のこと。織り目を密にしてけばで表面を完全に覆ったメルトン仕上げを施したもの。
- 糸…シャッペスパン60番、30番（ステッチ用）
- 針…11番ミシン針、14番ミシン針（ステッチ用）

〈no.7＆8　M-65タイプ フィールドジャケット〉
no.7の表布＝コットン麻混紡モールスキン（地直しA）

布の特徴…「もぐらの毛皮」(moleskin)の意で、これに似た手ざわりと外観を持った織物のこと。木綿を起毛した、厚手で柔らかな生地。
- 糸…シャッペスパン60番、30番（ステッチ用）
- 針…11番ミシン針、14番ミシン針（ステッチ用）

no.8の表布＝かつらぎ（地直しA）
布の特徴…太番手の綿糸を使った厚手の綾織物で、たて糸を密に織るため急角度の斜文ができる。洗いをかけるほど柔らかな風合いになる。
- 糸…シャッペスパン60番、30番（ステッチ用）
- 針…11番ミシン針、14番ミシン針（ステッチ用）

〈no.9 MA-1タイプ フライトジャケット〉
表布＝ナイロンツイル（地直しC）
布の特徴…〈no.5〉と同じ

扱いと縫合せの注意

- ナイロンクロス…織り目は詰まっているのでミシンの針跡が残ります。まち針も縫い線の外の縫い代側に打つようにします。また、ミシンの普通押えで布の送りが悪い場合は、テフロン押えに替えます。特に生地の表にステッチをかける場合は押えを替えると仕上りがきれいです。
- フライス…衿や袖口に使用しているリブニットのことでゴム編みともいいます。厚みと伸縮性があるため、通常は専用のミシン針（ボールポイント針）とミシン糸（レジロン）を使いますが、布帛との縫合せの場合は、普通のミシン針とミシン糸で対応できます。
- 中わた…一般的にはキルト芯と呼ばれる素材のポリエステルの布地。さまざまな厚さがありますが、服に使用する場合は、厚さ5mmくらいの薄手のものが扱いやすいく縫うのも楽です。
- ボア…裁断するときは布の裏面側からカットしますが、この時表面側の長い毛足を一緒にカットしないよう注意します。はさみの先の部分だけを使って基布の部分だけをカットします。
- ファー（毛皮）…裁断はボアと同様に毛足を切らないように注意します。ミシンをかけるときは皮革専用のミシン針とテフロン押えに替えます。ナイロンクロスよりさらに布の送りが悪いので、ハトロン紙などの薄い紙を敷いて一緒に縫います。縫い終えたらハトロン紙は切り取ります。

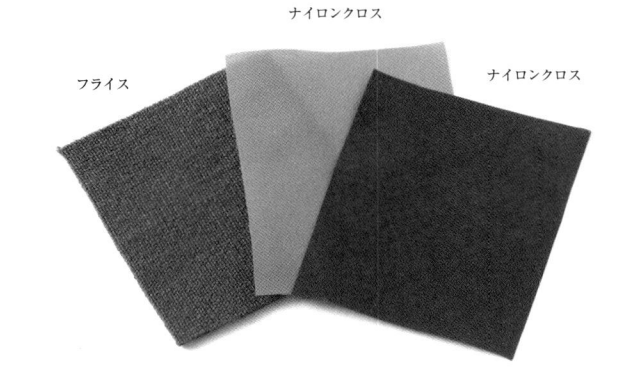

ナイロンクロス
フライス
ナイロンクロス

キルト芯・厚手　キルト芯・薄手

ボア　ファー

ボア（裏面）

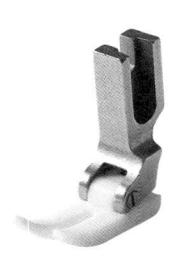

テフロン押え

no. 1　French F2 type Field Jacket
フランス軍 F2タイプ フィールドジャケット　p.08

●使用パターン（A面:作品の打合せに合わせた左パターン）
後ろ身頃　後ろ脇身頃　左前身頃　右前身頃
左前見返し　右前見返し　比翼布　表衿　裏衿
外袖　内袖　カフス　袖口縁とり布　腰ポケット
腰ポケットフラップ　胸ポケット　胸ポケット玉縁布
左持出し　持出し当て布　肩章

●縫い方順序
1　左持出し・肩章を作る。→図
2　胸ポケットを作る。→図
3　腰ポケット、フラップを作ってつける。
　①フラップ2枚を中表に合わせ、外回りを縫う。
　②フラップを表に返してアイロンで整え、外回りにステッチ。
　③ポケットの口縫い代を4.5cm幅の三つ折りにしてステッチ。
　④ポケット外回りの縫い代をアイロンで折り、
　　身頃にステッチで縫いとめる。
　⑤身頃のフラップつけ位置に表フラップを中表に合わせて縫い、
　　フラップを表に返してステッチで押さえる。
　⑥フラップに凹ドットボタン、ポケットに凸ドットボタンをつける。
4　右前端を見返しで縫い返す。→図
5　左前端に比翼あきを作り、
　　内側に左持出しをはさんで見返しを整える。→図
6　後ろ身頃と後ろ脇身頃を折伏せ縫いで縫う。
7　肩を折伏せ縫いで縫う。
8　衿を作る。
　①表衿と裏衿を中表に合わせて縫う。
　②表に返してアイロンで整える。
9　衿をつける。
　①身頃の衿ぐりに表衿を中表に合わせて縫う。
　②衿つけ縫い代を衿側に倒し、
　　裏衿の縫い代を折り込んで際をステッチで押さえる。
　　続けて衿の外回りにもステッチをかける。
10　袖口のあきを作る。→図
11　内袖と外袖の切替え線を、折伏せ縫いで縫う。
12　袖をつける。肩に肩章をはさみ、
　　折伏せ縫いで身頃と袖を縫い合わせる。→図
13　袖下〜脇を折伏せ縫いで縫う。
14　カフスを作り、袖口につける。→図
15　裾の始末をする。
　　脇の裾縫い代にゴムテープを縫いとめてから
　　裾縫い代を三つ折りにしてステッチをかける。
　　右前端の裾には面ファスナーを縫いとめる。→図
16　ボタンをつける。

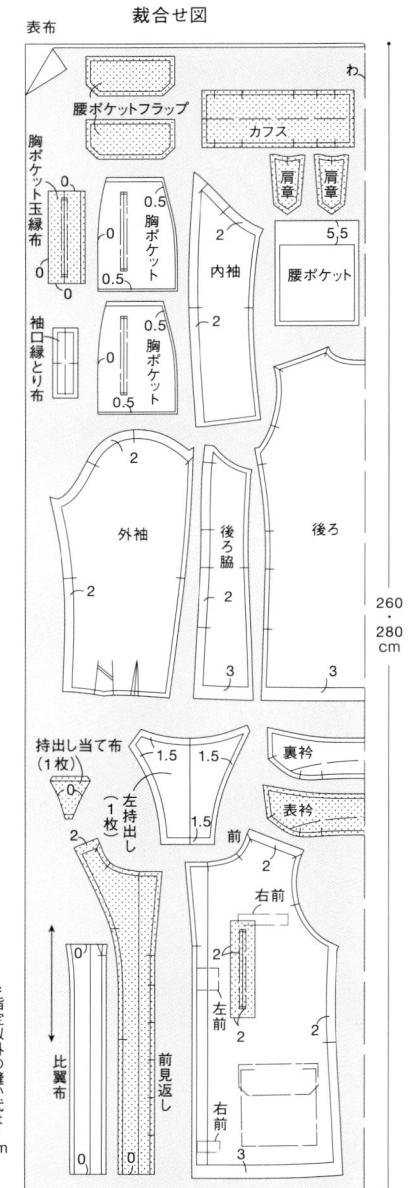

裁合せ図
表布
150cm幅
260・280cm
* *指定以外の縫い代は1cm
接着芯をはる位置

front

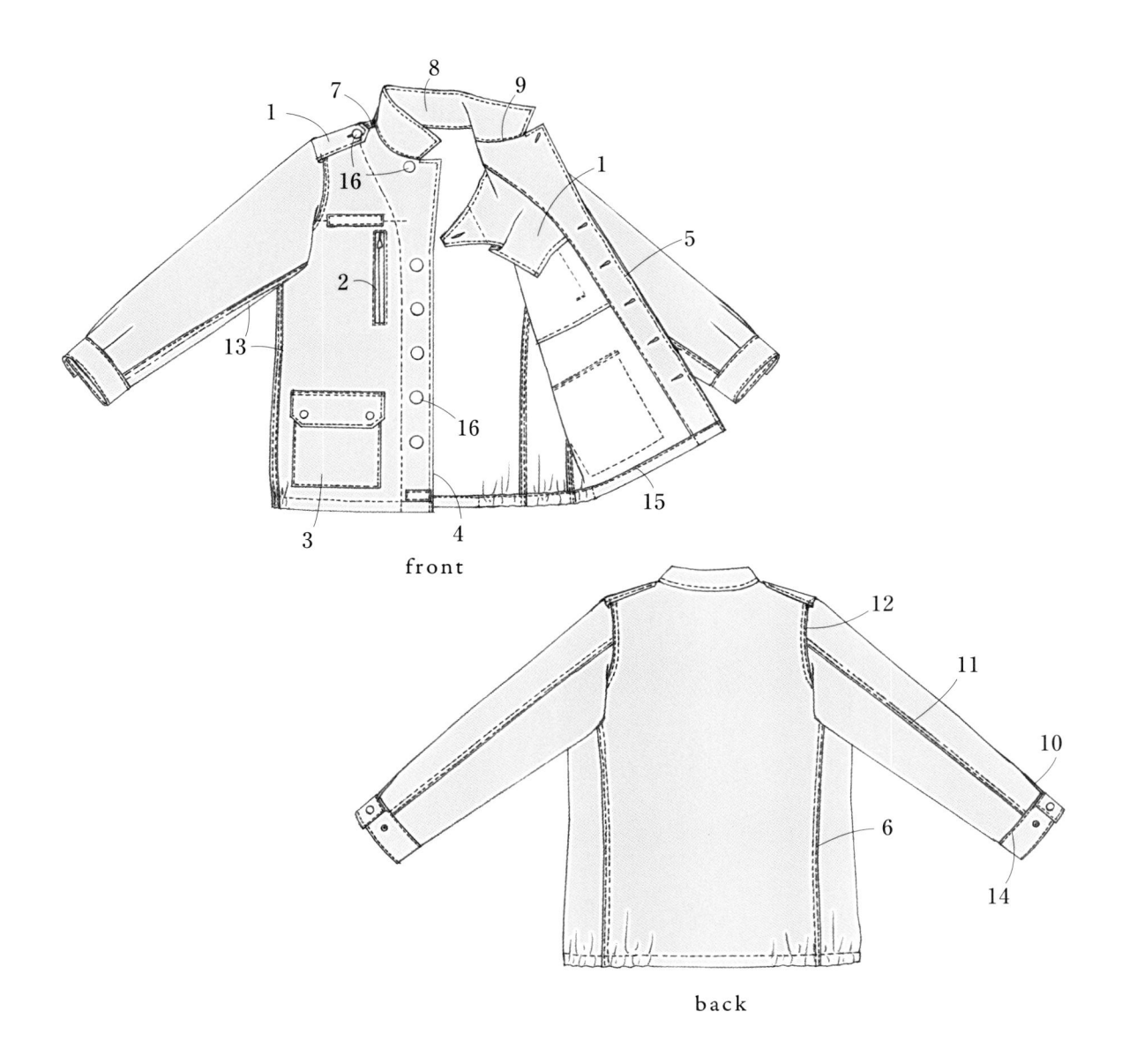

back

● 使用量
- 表布(p.34)＝150cm幅
  (S、M)2m60cm、(L)2m80cm
- 接着芯＝90cm幅
  (S、M)80cm、(L)90cm
- ファスナー＝17cm2本
- ドットボタン＝直径1.5cm8組み
- ボタン＝直径2.3cm5個(前あき用)／
  2cm1個(前上端用)／1.8cm2個(肩章用)
- 面ファスナー(ソフト面のみ使用)＝2.5cm幅20cm／
  5cm幅5cm
- ゴムテープ＝1.5cm幅40cm

● サイズ表(単位はcm)

	サイズ 名称	S	M	L
ヌード寸法	身長	155〜160	160〜170	170〜180
	胸回り	86〜92	90〜96	94〜100
	ウエスト	74〜80	78〜84	82〜88
出来上り寸法	着丈	72	74	78
	胸回り	108	113	123
	ウエスト	105	110	120
	ヒップ	114	119	129
	袖丈	55	57	61

1 左持出し、肩章を作る

[左持出し]

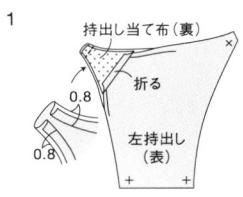

1. 持出し当て布の下端縫い代を折る。左持出しと中表に合わせ、左持出しの縫い代を図のように折って左の角を縫う。

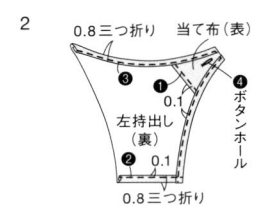

2. 当て布を表に返してアイロンで整え、下端にステッチをかける（❶）。次に持出しのつけ側以外の縫い代を三つ折りにしてステッチで押さえ（❷、❸）、ボタンホールを作る（❹）。

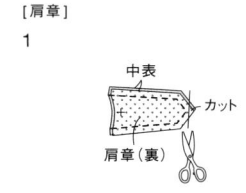

[肩章]

1. 肩章2枚を中表に合わせ、つけ側を残して周囲を縫う。先端は角の縫い代をカットする。

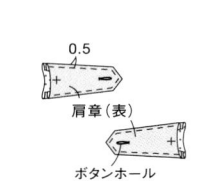

2. 表に返してアイロンで整え、ステッチをかけ、ボタンホールを作る。

2 胸ポケットを作る

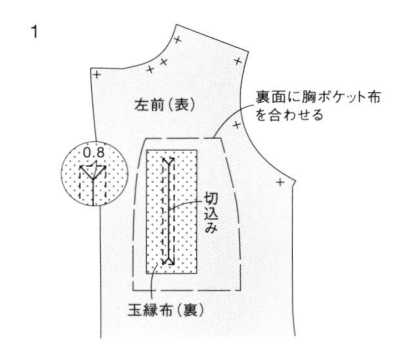

1. 前身頃の裏面に胸ポケット布を外表に合わせ、表面には玉縁布を中表に合わせて、玉縁位置を縫う。次に中央に切込みを入れる。

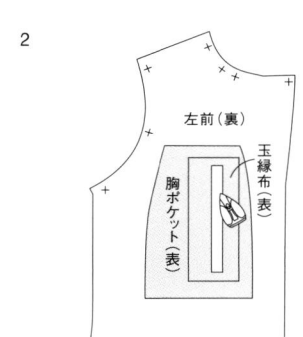

2. 玉縁布を前身頃の裏面に返して、アイロンで整える。

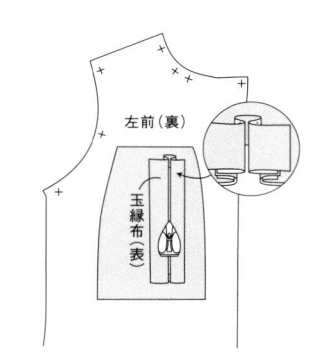

3. 玉縁布を突合せにたたんで、アイロンで整える。

4. 前身頃と胸ポケット布をよけて、1の縫い目の際、玉縁位置の縫い代を、玉縁布にとめる。

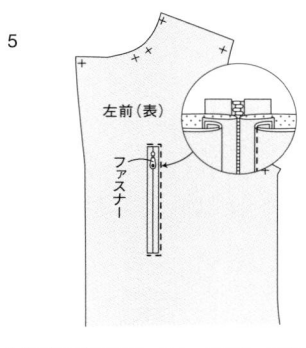

5. 玉縁布の内側にファスナーを重ね、身頃の表面から玉縁位置の上下と脇側にステッチをかけ、縫いとめる。

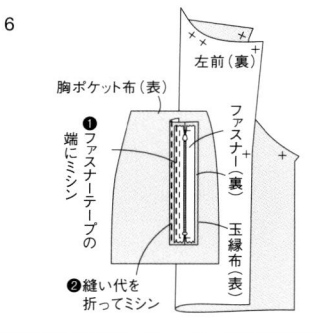

6. 前身頃をよけてファスナーテープの脇側の端を、玉縁布、胸ポケット布にとめる。次に玉縁布の脇側の縫い代を折り、胸ポケット布に縫いとめる。

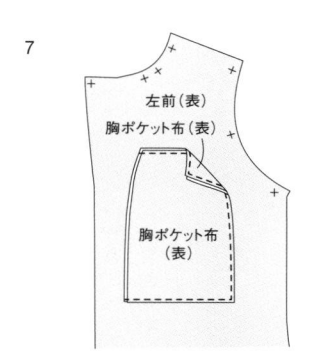

7. ファスナーを開き、そこから胸ポケット布を身頃の表面に引き出し、もう1枚の胸ポケット布を外表に重ねて、見返し側以外の3辺を縫う。

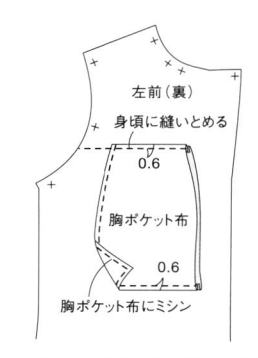

8. 胸ポケット布2枚を身頃の裏面に返して整え、脇側と下側を縫う。次に上端を身頃に縫いとめる。

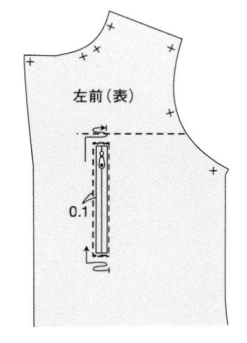

9. 前身頃表面から玉縁布の上下と中心側にステッチをかける。上下はしっかり返し縫いをする。

4 右前端を見返しで縫い返す

1 右前見返し端の縫い代を折り、右前身頃と中表に合わせ、衿つけ止り〜前端を縫う。衿つけ止りの縫い代に切込みを入れ、角の縫い代を斜めにカットする。

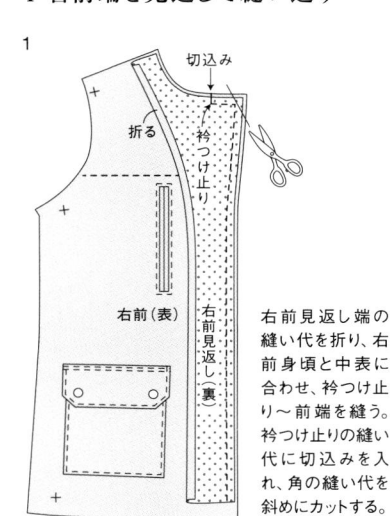

2 見返しを身頃の裏面に返してアイロンで整え、衿つけ止り〜前端にステッチをかける。見返し端もステッチで押さえておく。

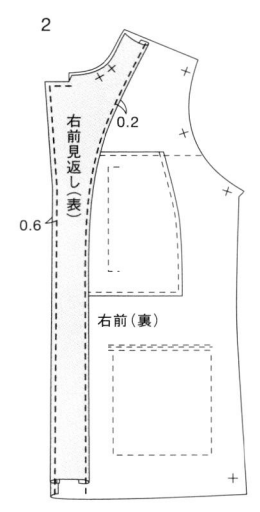

3 右前身頃表面の玉縁ポケットの上側に、面ファスナーのソフト面を縫いとめる。

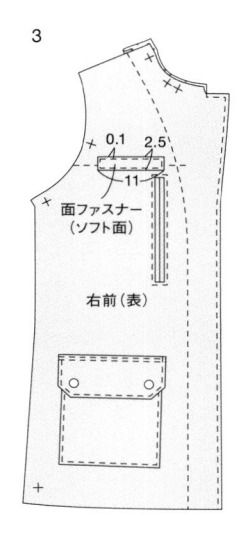

5 左前端に比翼あきを作る

1 左前身頃、左前見返しと比翼布をそれぞれ中表に合わせ、比翼あき止りから下を縫う。縫い代は比翼布側に倒してアイロンで整えておく。

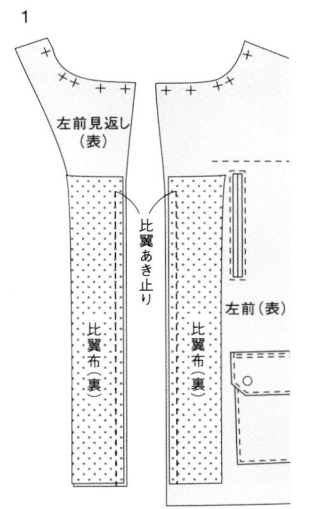

2 左前身頃と左前見返しを中表に合わせ、衿つけ止りから比翼あき止り〜比翼布の上端を縫う。

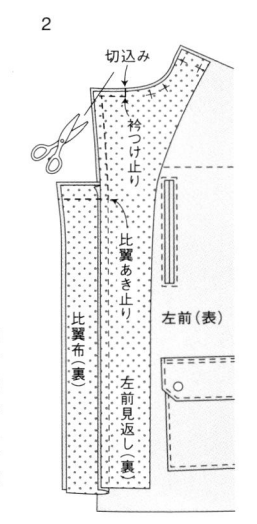

3 見返しを左前身頃の裏面に返して前端をアイロンで整える。

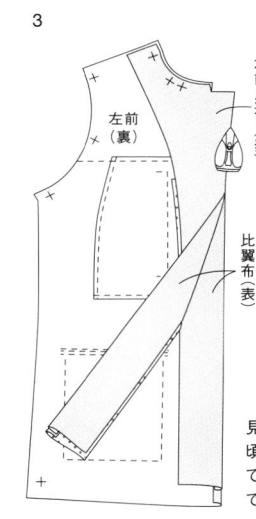

4 前身頃・比翼布の前端に、見返しをよけて、あき止りから下にステッチをかけ、面ファスナーのソフト面を縫いとめる。

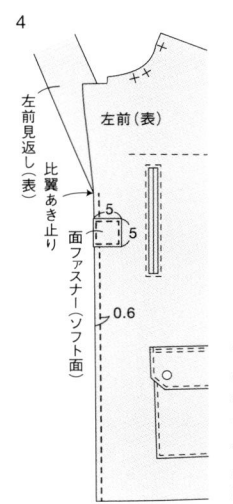

5 見返し・比翼布の前端に、前身頃をよけて、あき止りから下にステッチをかけ、ボタンホールを作る。

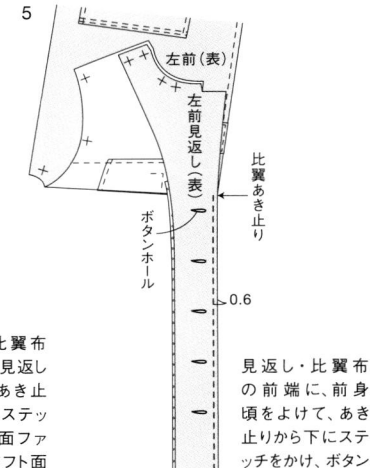

6 比翼あき止りから衿つけ止りまで、ステッチをかける。見返し端の縫い代を2枚の比翼布と一緒に折り、左持出しをはさんでステッチで押さえる。前端は0.3cmぐらい内側を糸ループでとめておく。

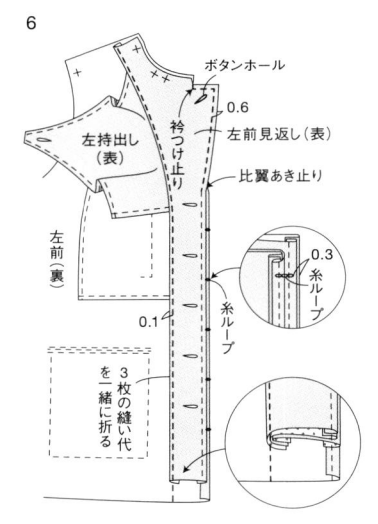

10 袖口のあきを作る

1

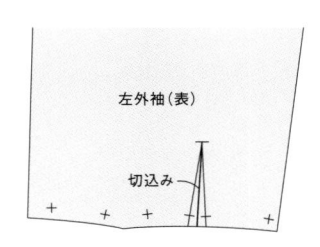

袖口の縁とり位置の中央に切込みを入れる。

2

切込み位置を開いてまっすぐにし、袖口縁とり布を中表に合わせて縫う。

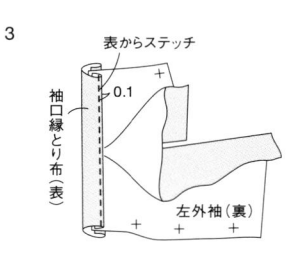

3

袖口縁とり布で縫い代をくるみ、表から縫い目の際にステッチをかけて、裏側の縁とり布を縫いとめる。

4

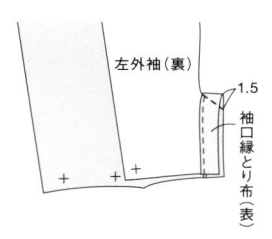

縁とり布を半分に折って重ね、角から斜めに2〜3回重ねてミシンをかけてとめる。

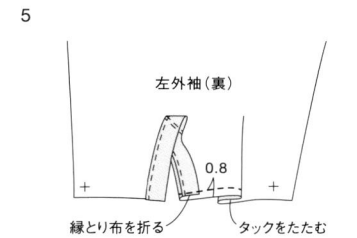

5

袖口のタックをたたみ、前側の縁とり分を袖の裏面に折り、袖口縫い代に仮どめミシンまたはしつけをかける。

12 袖をつける

1

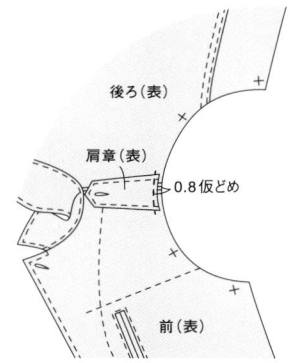

肩章を身頃の肩のつけ位置に重ね、袖ぐり縫い代に仮どめする。

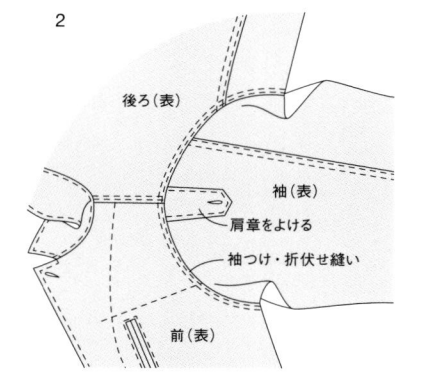

2

身頃と袖を折伏せ縫いで縫い合わせる。折伏せ縫いのステッチをかけるときは、肩章をよける。

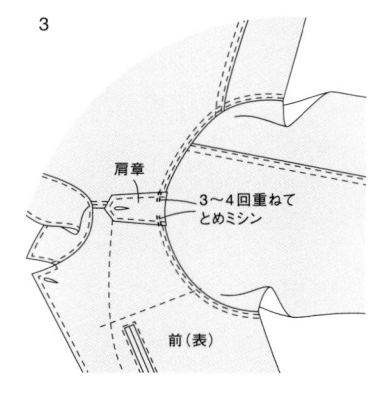

3

肩章を身頃側に戻し、袖つけ縫い目の際にとめミシンをかける。

折伏せ縫い

縫い合わせた2枚の縫い代の、片方の縫い代でもう一方の縫い代をくるむ、ステッチで押さえます。裁ち端が隠れてきれいに仕上がる丈夫な縫い方です。

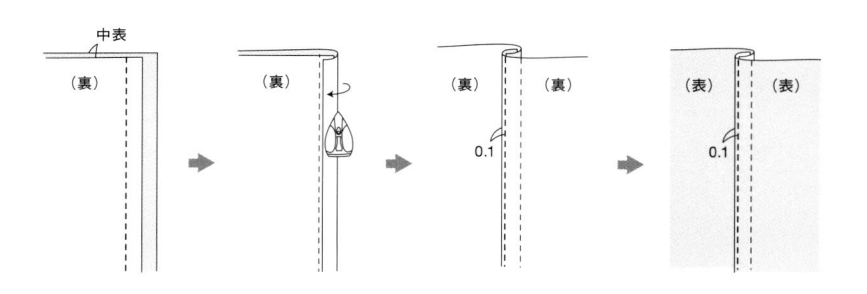

14 カフスを作ってつける

1

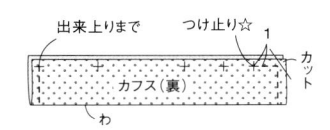

出来上がりまで　つけ止り☆　1
カフス（裏）　カット
わ

カフスを中表に折り、両サイドを縫う。

2

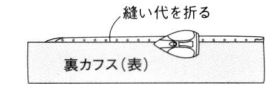

縫い代を折る
裏カフス（表）

表に返してアイロンで整える。裏カフスのつけ側縫い代はアイロンで裏面に折り込む。

3

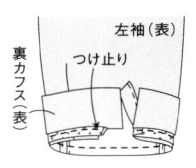

左袖（表）
裏カフス（表）　つけ止り

袖口に表カフスを中表に合わせて縫う。

4

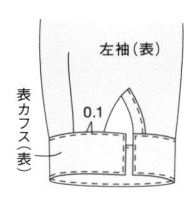

左袖（表）
0.1
表カフス（表）

カフスつけ縫い代をカフス側に倒して表、裏カフスで縫い代をはさみ、アイロンで整えてカフスの周囲にステッチをかける。

5

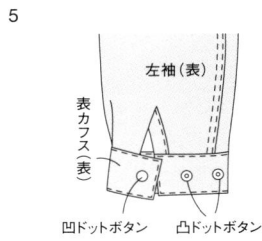

左袖（表）
表カフス（表）
凹ドットボタン　凸ドットボタン

ドットボタンをつける。凹ドットボタンは1個、凸ドットボタンは2個つける（凹は片袖で1つ余る）。

15 裾の始末をする

1

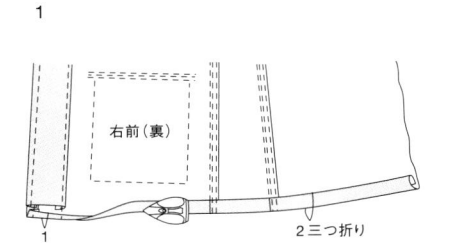

右前（裏）
1　　2三つ折り

裾縫い代をアイロンで三つ折りにする。

2

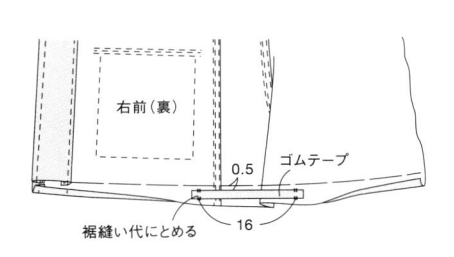

右前（裏）
0.5　ゴムテープ
裾縫い代にとめる　16

折り目を開き、脇あたりの裾縫い代に、ゴムテープの両端を縫いとめる。

3

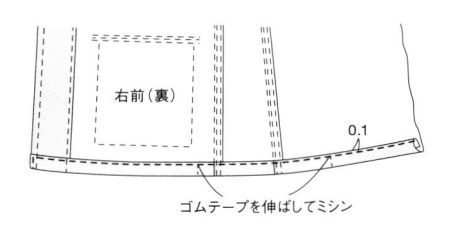

右前（裏）
0.1
ゴムテープを伸ばしてミシン

三つ折りを整え、端にステッチをかける。ゴムテープを入れた部分は、ゴムテープを伸ばしながらミシンをかける。

4

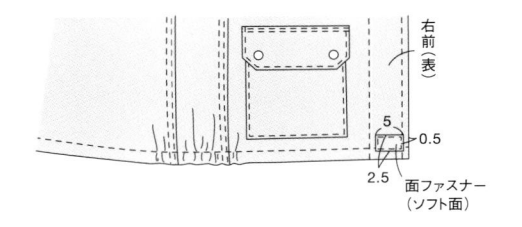

右前（表）
5　0.5
2.5　面ファスナー（ソフト面）

右前端だけに、面ファスナーのソフト面を縫いとめる。

no. 2 & 3 M-51 type Field Parker
M-51タイプ フィールドパーカー p.10,14

●使用パターン(B面：作品の打合せに合わせた右パターン)
左後ろ身頃　右後ろ身頃　脇身頃　左前身頃　右前身頃
左前見返し　右前見返し　裾見返し　フラップ　片玉縁布
袋布　後ろウエスト当て布　後ろドットボタン当て布
前はと目かん当て布　袋布つりテープ　内袖　外袖　袖口布
袖口タブ　フード前側　フード後ろ側　裏フード前側
フード口見返し　フード前端見返し　フードタブ
フードファー　フードファー土台布

●縫い方順序
1　後ろ中心を縫い、あきを整えて当て布をつける。→図
2　前身頃と脇身頃を縫い合わせる。
　①前はと目かん当て布の縫い代を折り、前身頃裏面の
　　つけ位置に縫いとめ、はと目かんをつける。
　　フードにもはと目かんをつけておく。
　②前身頃と脇身頃を折伏せ縫い(→p.40)で縫う。
3　前身頃にポケットを作る。→図
4　前端を縫う。
　①見返し端にロックミシンをかけ、
　　縫い代を折ってミシンで押さえる。
　　右前見返しには凹ドットボタンをつける。
　②左右とも前身頃と見返しを
　　中表に合わせて縫う。
　③見返しを身頃の裏面に返して
　　アイロンで整え、前端にステッチをかける。
5　オープンファスナーをつける。→図
6　後ろ身頃と脇身頃を折伏せ縫いで縫う。
7　後ろウエスト当て布をつける。→図
8　肩を折伏せ縫いで縫う。
9　裾見返しをつける。→図
10　フードを作る。→図
11　フードをつける。
　①表身頃の衿ぐりに表フードを中表に合わせて縫う。
　②フードつけ縫い代をフード側に倒し、
　　裏フードの縫い代を折って際をミシンで縫いとめる。
　③フードの外回りにステッチをかける。
12　袖を作る。→図
13　袖をつける。縫い代は2枚一緒にロックミシンで始末して
　　袖側に倒し、ステッチを2本かける。
14　フード取り外しファーを作る。→図
15　ボタンをつける。
16　フード、ウエスト、裾にひも(綿ロープ)を通す。
　　綿ロープの端にはループエンドをつけておく。

●使用量
- 表布(p.34)＝137cm幅 (S、M) 4m30cm、(L) 4m70cm
- ファー＝no.2は毛皮8デシ(1デシは10cm四方)、
  no.3はフェークファー80×7cm
- 接着芯＝90cm幅 (S、M) 90cm、(L) 1m
- オープンファスナー＝41cm 1本
- 綿ロープ＝太さ0.4cm幅／1m50cm(ウエスト用)
  95cm 2本(裾用)／1m(フード用)
- ループエンド＝8個
- ボタン＝直径1.8cm 25個(ライナー用)
  2.5cm 4個(袖口布用)
- ドットボタン＝直径1.3cm 17組
- はと目かん＝内径0.5cm 4組

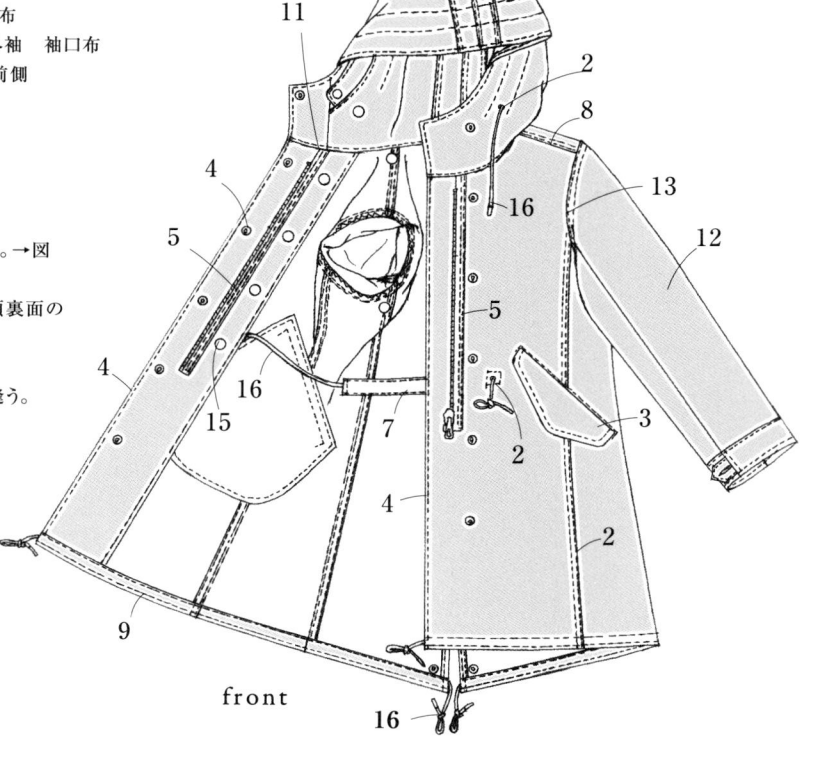

●サイズ表(単位はcm)

	サイズ 名称	S	M	L
ヌード寸法	身長	155～160	160～170	170～180
	胸回り	86～92	90～96	94～100
	ウエスト	74～80	78～84	82～88
出来上り寸法	着丈	91	94	100
	胸回り	102.5	106.5	114.5
	ウエスト	103	107	115
	ヒップ	114	118	126
	袖丈	58.5	60.5	64.5

front

14

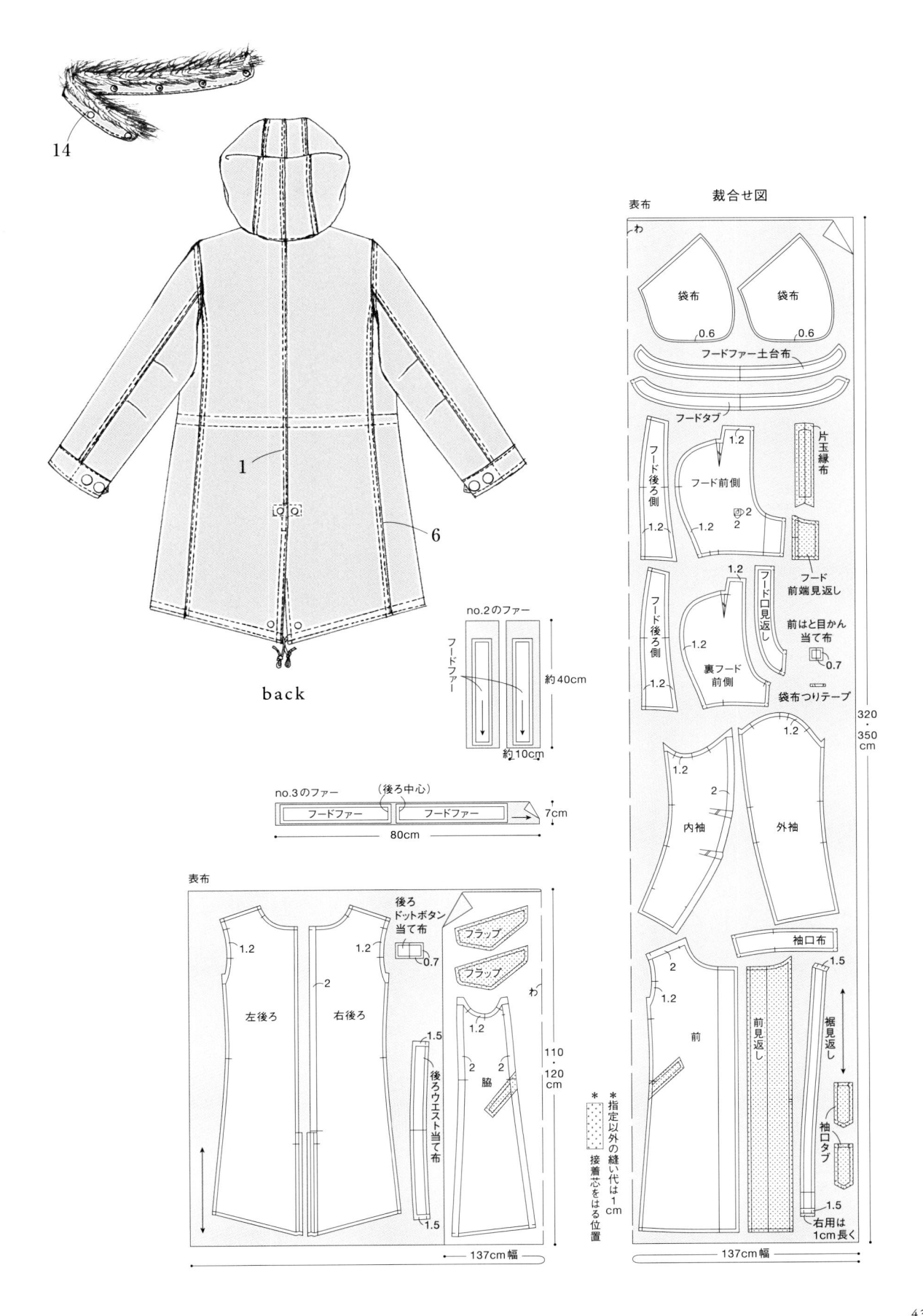

back

裁合せ図

表布

袋布 0.6　袋布 0.6

フードファー土台布

フードタブ

フード後ろ側 1.2　フード前側 1.2　片玉縁布

1.2　1.2　2

フード前端見返し

フード後ろ側 1.2　フード口見返し 1.2　前はと目かん当て布 0.7

裏フード前側 1.2

袋布つりテープ

no.2のファー
フードファー
約40cm
約10cm

no.3のファー　（後ろ中心）
フードファー　フードファー
80cm　7cm

内袖 1.2　外袖 2

袖口布

表布

後ろドットボタン当て布 0.7　フラップ　フラップ

左後ろ 1.2　右後ろ 1.2
2
脇 1.2　2
後ろウエスト当て布
1.5

110・120 cm

前 1.2　前見返し 1.2　裾見返し 1.5

袖口タブ
1.5　右用は1cm長く

*指定以外の縫い代は1cm
*接着芯をはる位置

137cm幅　　137cm幅

320・350 cm

1 後ろ中心を縫い、あきを整える

1 左右の後ろ中心を中表に合わせ、スリット止りまで縫う。

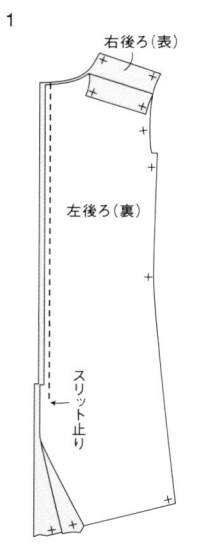

2 右後ろ身頃のスリットあきの縫い代を三つ折りにしてステッチをかける。

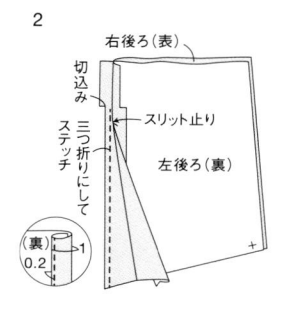

3 左後ろ身頃のスリットあきの縫い代を三つ折りにしてステッチをかける。

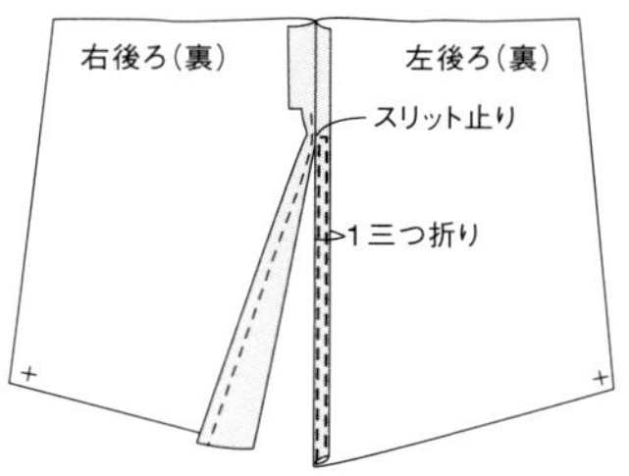

4 スリット止りから上の後ろ中心を折伏せ縫いにする。スリット止りは2、3回重ねてミシンをかけておく。

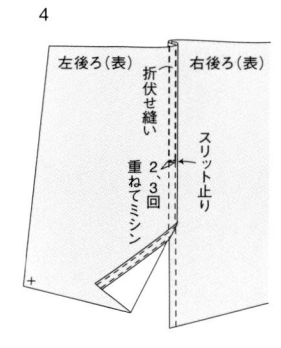

5 後ろドットボタン当て布の縫い代を表面に折り、後ろ身頃裏面の後ろ中心のつけ位置に縫いとめる。

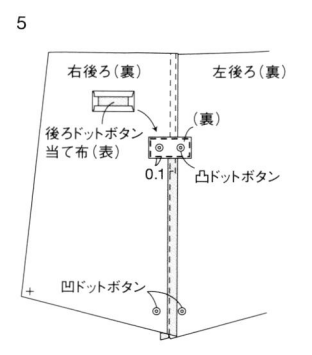

3 前身頃にポケットを作る

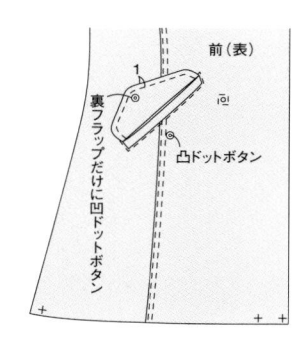

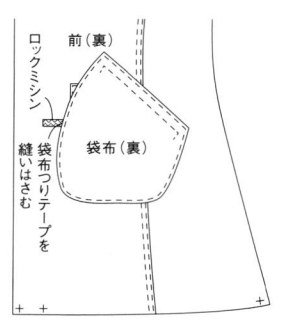

p.70 3-1・2を参照してフラップを作り、p.52-2を参照してフラップつき片玉縁ポケットを仕上げるが、袋布の外回りを縫うときに、袋布つりテープをはさんでおく。また凸ドットボタンは、向う側の袋布をよけ、上側の袋布と前身頃だけにつける。

5 オープンファスナーをつける

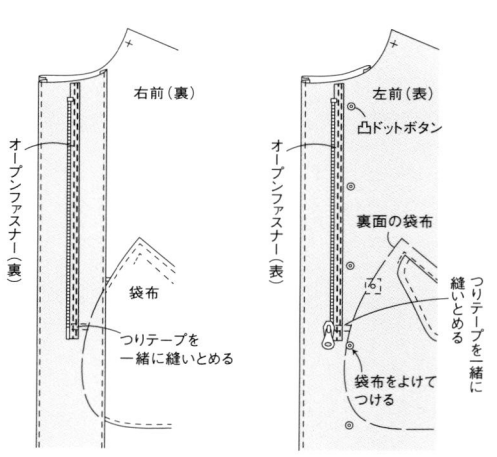

オープンファスナーを開いて左右を別々にし、スライダーのついているほうを左前身頃表面に、もう一方を右前裏面の見返し側に縫いとめる。このとき、袋布のつりテープを一緒に縫いとめる。次に左前身頃には凸ドットボタンをつけるが、このときは袋布をよけてつける。

7 後ろウエストに当て布をつける

1 後ろウエスト当て布の両端の縫い代を表面に折ってミシンをかける。

2 後ろ身頃の裏面に当て布を合わせて上下を縫いとめる。

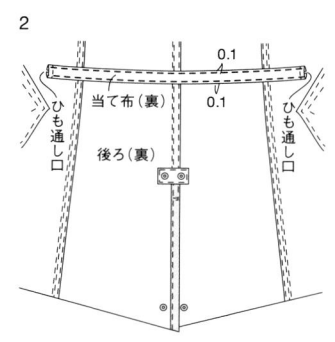

9 裾見返しをつける

1. 裾見返しの前端、後ろ端の縫い代を折って縫い、上端の縫い代をアイロンで折る。

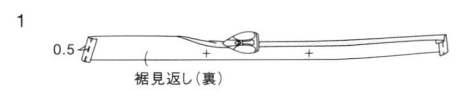

2. 身頃の裾に、裾見返しを中表に合わせて縫う。

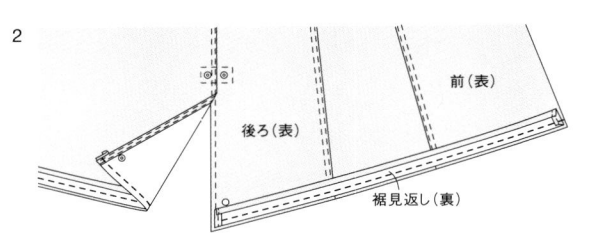

3. 裾見返しを身頃の裏面に返してアイロンで整え、見返しの上下にステッチをかける。

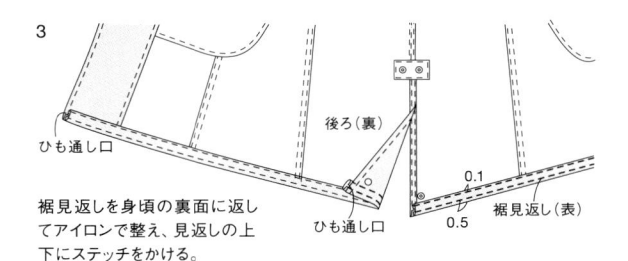

10 フードを作る

1. 表フード、裏フードとも左右を中表に合わせて上端を縫う。縫い代は左フード側に倒してステッチを2本かける。フード口見返しも同様に縫う。

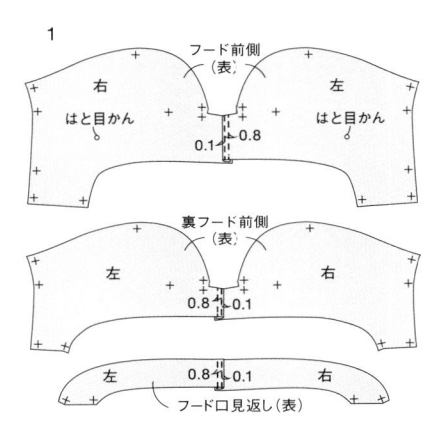

2. フードタブを中表に合わせて外回りを縫い、縫い代を0.5cmぐらいにカットする。さらにカーブの強い部分には縫い代に切込みを入れて表に返す。アイロンで整え、ステッチをかけて凹ドットボタンをつける。

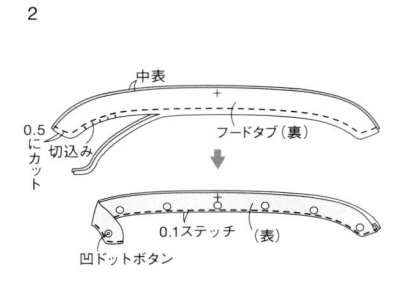

3. フード口見返しの表面にフードタブを重ね、つけ側の縫い代に仮どめミシンをかける。

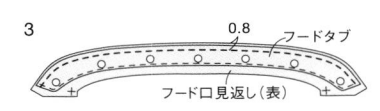

4. 裏フードと3の見返しを中表に合わせて縫い、裏フードのカーブの縫い代だけに切込みを入れて表に返す。縫い代をフード側に倒してアイロンで整え、タブのつけ止から7～8cm先までにだけ、ステッチをかける。

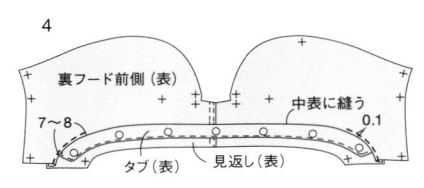

5. 右のフード前端見返しに凹ドットボタンをつけてから、4の裏フードにフード前端見返しを中表に合わせて縫う。このときフードタブを縫い込まないように気をつける。縫い代は割る。

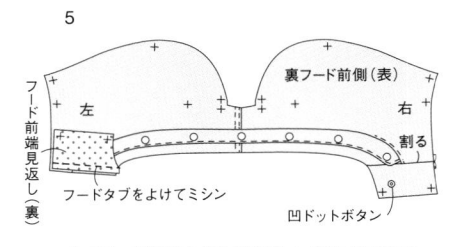

6. フード後ろ側の後ろ中心を縫い、左フード側に倒してステッチを2本かける。

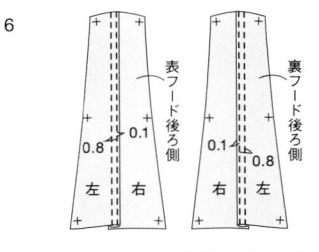

7. 表フード前側と表フード後ろ側を中表に合わせて縫い、縫い代を後ろ側に倒してステッチを2本かける。裏フードも同様に縫い合わせる。

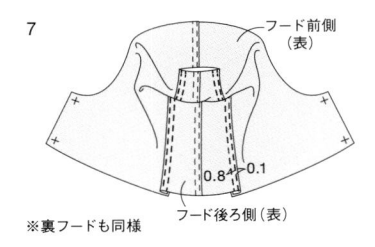

8. 表フード、裏フードとも左右のダーツを続けて縫う。縫い代は後ろ側に倒し、ステッチをかける。

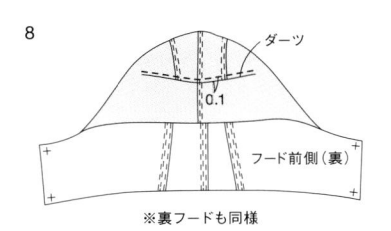

9. 表フードと裏フードを中表に合わせて前端～フード口を縫う。カーブの縫い代に切込みを入れ、角の縫い代は斜めにカットする。

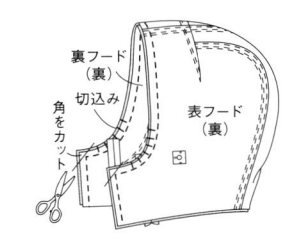

10. フードを表に返して前端～フード口をアイロンで整え、見返しつけ縫い目の際と3cm内側に、ひも通し用のステッチをかける。

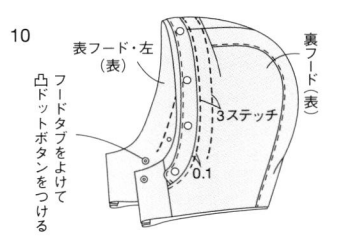

12 袖を作る

1 内袖、外袖の袖下縫い代にロックミシンをかけ、内袖のタックをたたんでから内袖と外袖を折伏せ縫いで縫い合わせる。

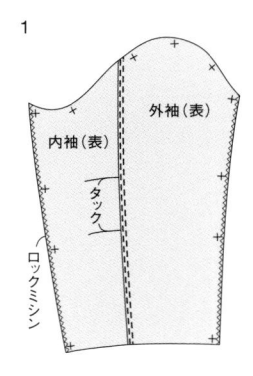

2 袖下を中表に合わせて縫い、縫い代を割る。

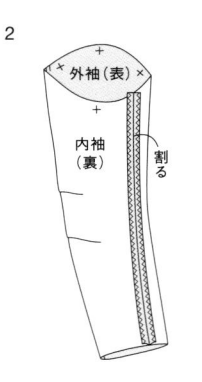

3 袖口布の袖下縫い代にロックミシンをかけ、前側は縫い代を折ってステッチをかけ、上側の縫い代をアイロンで折る。次に袖の裏面に、袖口布の裏面を上にして合わせ、袖口を縫う。

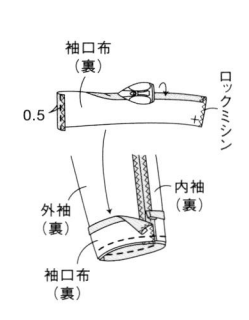

4 袖口布を表に返してアイロンで整え、袖口にステッチをかける。

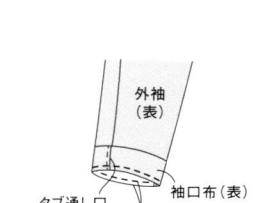

5 袖口タブ2枚を中表に合わせて縫い、先の縫い代を細くカットして表に返す。返し口の縫い代を折り込んでゴムテープをはさみ、タブの周囲にステッチをかける。ボタンホールも作っておく。

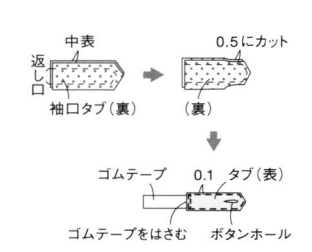

6 袖口布の外袖側に5のタブを通し、ゴムテープの端を袖切替え線位置に縫いとめる。

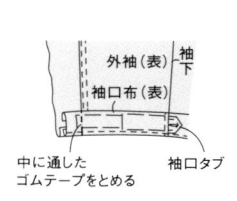

7 袖口タブを縫い込まないように気をつけて、袖口布の上端をステッチで縫いとめる。袖口裏にライナー用のボタンをつける。

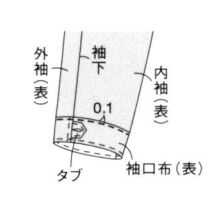

14 フード取り外しファーを作る

1 フードファーの後ろ中心を中表に合わせて縫う。

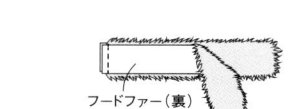

2 フードファーの前端を中表に折って縫う。

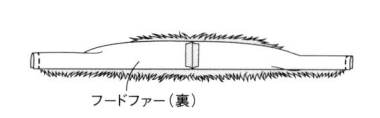

3 表に返して全体を二つ折りにして整える。

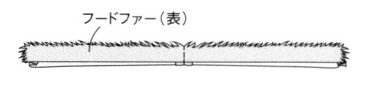

4 フードファー土台布の外回りの縫い代をアイロンで折る。

5 2枚の土台布を中表に合わせ、間に二つ折りにしたファーをはさんで縫う。

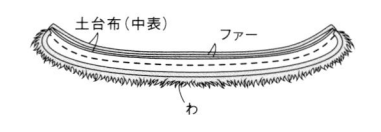

6 土台布を表に返して整え、周囲にステッチをかける。土台布に凸ドットボタンをつける。

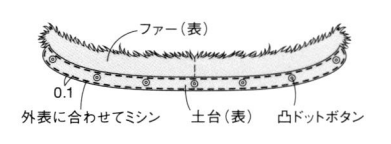

no. 2 & 3 Liner
M-51タイプ フィールドパーカー ライナー p.30

●使用パターン(B面：作品の打合せに合わせた右パターン)
ライナー後ろ身頃　ライナー前身頃　ライナー外袖　ライナー内袖
ライナー袖下当て布　ライナーフード　ライナー衿ぐりタブ
ライナー袖下タブ　ライナー前袖口タブ　ライナー後ろ袖口タブ

●縫い方順序(no.2のボアライナー)
※no.3のライナーはno.2のライナーで
ボアを使用したライナー後ろ、ライナー前、
ライナーフードの部分を裏布を使っています。
縫い方順序はno.2と同様です。

1　ライナー用の各タブを作る。→図
2　ボア、裏布の脇をそれぞれ縫う。
　　ボアの脇には袖下当て布をつける。→図
3　ボア、裏布ともそれぞれ肩を縫い、
　　縫い代を割る。脇身頃を縫い合わせる。
4　袖を縫う。→図
5　袖をつける。
　　ボアの身頃には裏布だけの袖をつける。
　　裏布の身頃には中わたを入れた袖をつける。
6　フードを作る。
　　①裏布、ボアともそれぞれ
　　　2枚を縫い合わせて縫い代を割る。
　　②裏布、ボアのフードを外表に合わせ、
　　　2枚がずれないように周囲の縫い代に
　　　粗い針目のミシンをかける。
7　フードをつける。
　　ボアと裏布の身頃の衿ぐりを中表に合わせ、
　　フードをはさんで衿ぐりを縫い、表に返して整える。
8　前端をテープで始末する。→図
9　裾、袖口の始末をする。
　　裾、袖口とも二つ折りにしたテープで
　　ボアと裏布の布端を一緒にはさんで縫いとめる。
10　前端のテープにボタンホールを作る。

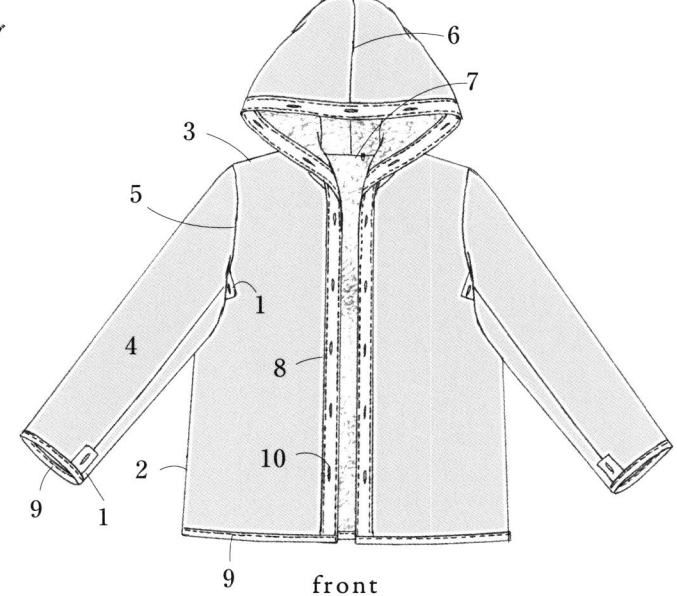

front

back

●使用量(no.2)
• ボア＝165cm幅
　(S、M)1m10cm、(L)1m20cm
• 裏布＝122cm幅
　(S、M)2m40cm、(L)2m60cm
• 中わた＝125cm幅
　(S、M)70cm、(L)80cm
• 綾織りテープ＝2.5cm幅6m

●使用量(no.3)
• 裏布＝122cm幅
　(S、M)3m20cm、(L)3m40cm
• 別布＝125cm幅50cm
• 中わた＝125cm幅
　(S、M)1m90cm、(L)2m
• 綾織りテープ＝2.5cm幅6m

裁合せ図

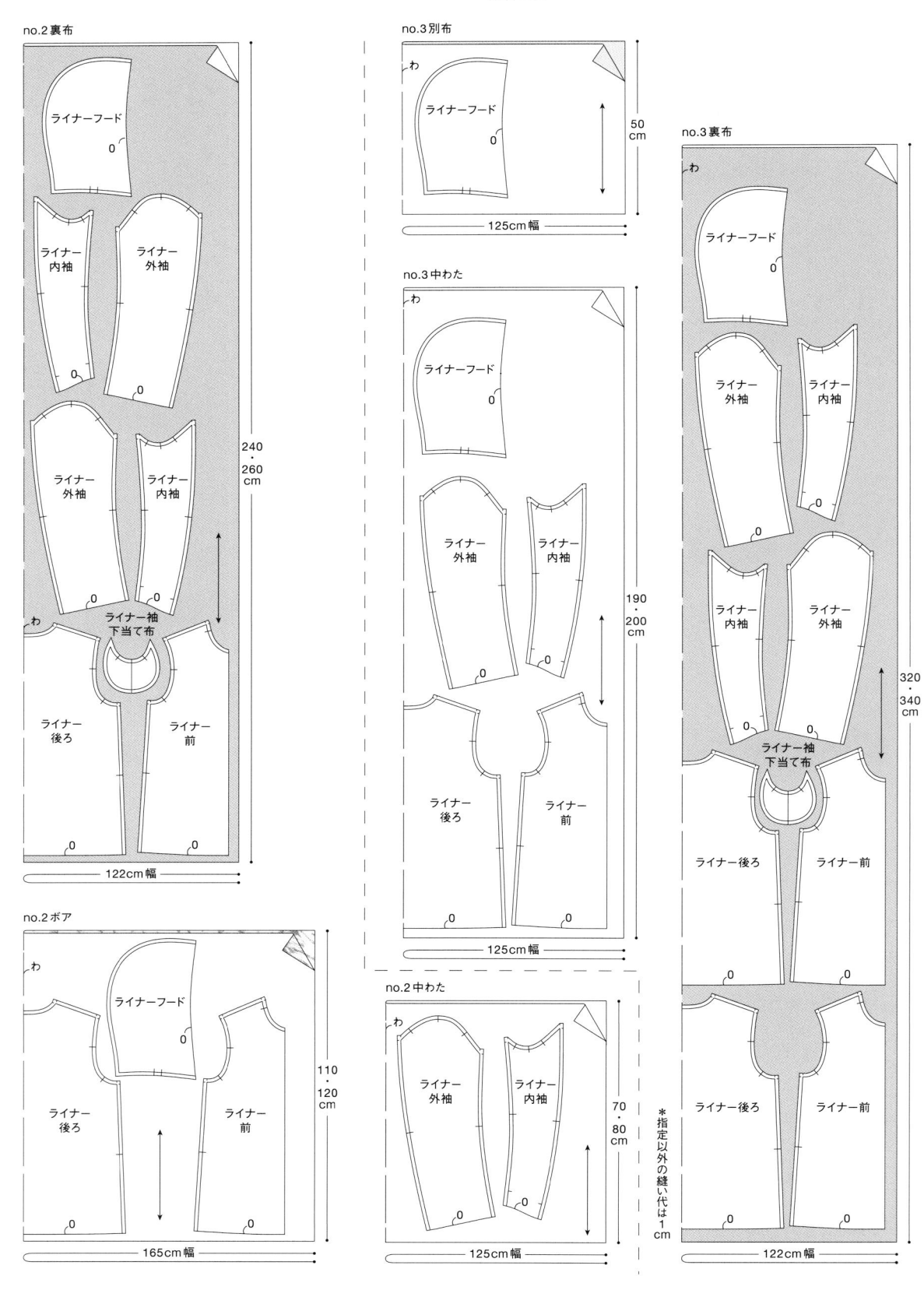

no.2 裏布
- ライナーフード
- ライナー内袖
- ライナー外袖
- ライナー外袖
- ライナー内袖
- ライナー袖下当て布
- ライナー後ろ
- ライナー前

122cm幅 / 240・260cm

no.2 ボア
- ライナーフード
- ライナー後ろ
- ライナー前

165cm幅 / 110・120cm

no.3 別布
- ライナーフード

125cm幅 / 50cm

no.3 中わた
- ライナーフード
- ライナー外袖
- ライナー内袖
- ライナー後ろ
- ライナー前

125cm幅 / 190・200cm

no.2 中わた
- ライナー外袖
- ライナー内袖

125cm幅 / 70・80cm

no.3 裏布
- ライナーフード
- ライナー外袖
- ライナー内袖
- ライナー内袖
- ライナー外袖
- ライナー袖下当て布
- ライナー後ろ
- ライナー前
- ライナー後ろ
- ライナー前

122cm幅 / 320・340cm

*指定以外の縫い代は1cm

1 ライナー用の各タブを作る

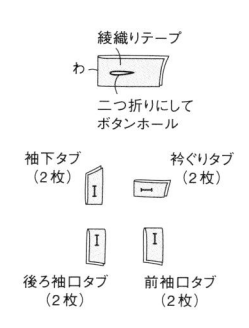

綾織りテープ
わ
二つ折りにして
ボタンホール

袖下タブ（2枚）
衿ぐりタブ（2枚）
後ろ袖口タブ（2枚）
前袖口タブ（2枚）

タブは綾織りテープを二つ折りにしてボタンホールを作る。袖下用、衿ぐり用、後ろ袖口用、前袖口用を各2枚ずつ作る。

2 脇を縫う

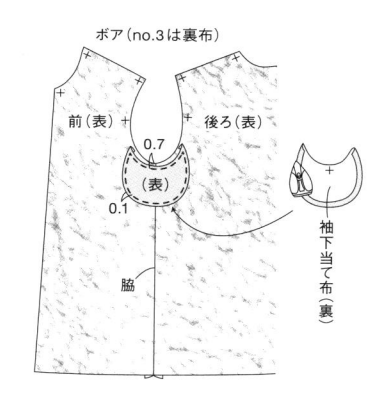

ボア（no.3は裏布）
前（表）　後ろ（表）
0.7
（表）
0.1
脇
袖下当て布（裏）

裏布
0.7
衿ぐりタブ
0.7
袖下タブ
後ろ（表）　前（表）

前後身頃の脇を中表に合わせて縫い、縫い代を割る。次に、外回りの縫い代を折った袖下当て布を表面の脇袖下に重ね、周囲を縫いとめる。

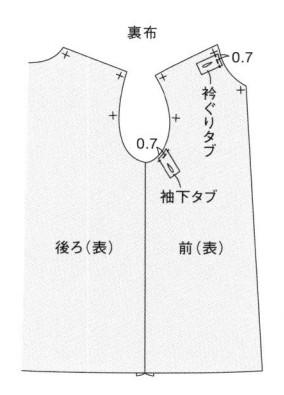

前身頃の表面に衿ぐりタブと袖下タブをそれぞれ仮どめし（no.3は裏面に中わたを重ねて周囲に粗い針目のミシンをかけてから）、前後身頃の脇を縫い、縫い代を割る。

4 袖を縫う

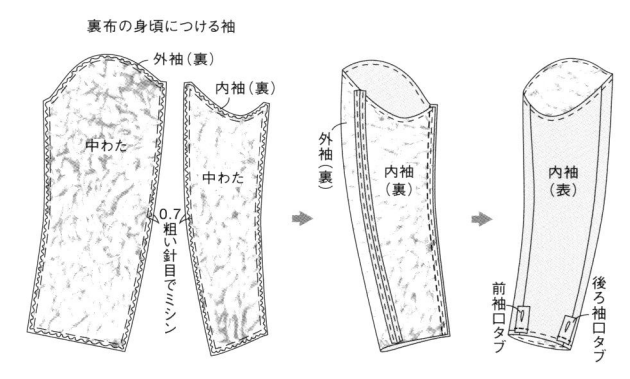

裏布の身頃につける袖
外袖（裏）　内袖（裏）
中わた　中わた
0.7 粗い針目でミシン

外袖（裏）　内袖（裏）
内袖（表）
前袖口タブ　後ろ袖口タブ

外袖、内袖とも裏面に中わたを重ね、周囲に粗い針目のミシンをかけてから、内袖と外袖を中表に合わせて縫う。縫い代を割り、袖口の表面には袖口タブを仮どめする。

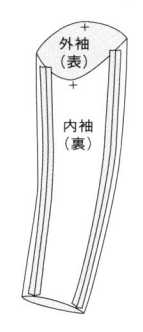

ボア（no.3は裏布）の身頃につける袖
外袖（表）
内袖（裏）

内袖と外袖を中表に合わせて縫い、縫い代を割る。

8 前端をテープで始末する

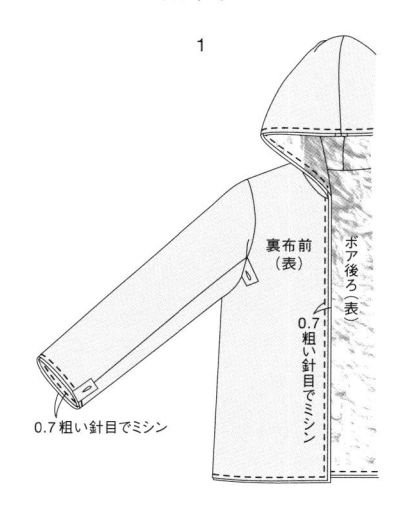

1

裏布前（表）　ボア後ろ表
0.7 粗い針目でミシン
0.7 粗い針目でミシン

裏布とボア（no.3は裏布）の身頃、袖を外表に合わせて整え、裾～前端～フード口、袖口の布端に、粗い針目のミシンをかける。

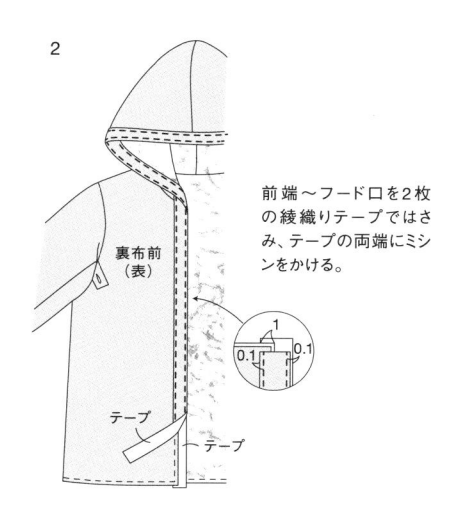

2

裏布前（表）
テープ　テープ
0.1　0.1　1

前端～フード口を2枚の綾織りテープではさみ、テープの両端にミシンをかける。

no.4 NATO type Field Parker
NATOタイプ フィールドパーカー p.16

●使用パターン（A面:作品の打合せに合わせた左パターン）
後ろ身頃　前身頃　前見返し　前肩ヨーク　内袖　外袖
フード前側　フード後ろ側　袖口タブ　肩章　脇ポケット袋布
脇ポケット向う布　脇表フラップ　脇裏フラップ
脇フラップ比翼布　脇片玉縁布　胸ポケット袋布
胸表フラップ　胸裏フラップ　胸フラップ比翼布　胸片玉縁布
後ろ内ベルト　後ろ内ベルト当て布　衿つり布

●縫い方順序
1　肩章、タブを作る。→p.38
2　胸のフラップポケットを作る。→図
3　脇のフラップポケットを作る。→図
4　前端を縫い、オープンファスナーをつける。→図
5　前身頃と前肩ヨークを折伏せ縫い（→p.40）で縫う。
6　後ろ中心を折伏せ縫いで縫う。
7　肩を折伏せ縫いで縫う。
8　脇を折伏せ縫いで縫う。
9　後ろ身頃に後ろ内ベルト当て布をつける。→図
10　裾の始末をする。
　　①右前裾にはと目かんをつける。
　　　このはと目穴が右前裾のひも通し口になる。
　　②裾の縫い代を2.2cm幅の
　　　三つ折りにしてステッチをかける。
　　　左前は前端をひも通し口にする。
11　フードを作る。→図
12　フードをつける。
　　このとき後ろ中心に衿つり布を縫いはさむ。→図
13　袖を作る。→図
14　袖をつける。
　　①肩に肩章をはさんで身頃の袖ぐりに
　　　袖を中表に合わせ、袖つけミシンをかける。
　　　このとき袖ぐり下側の身頃裏面には6cmの
　　　ゴムテープを二つ折りにして一緒に縫いとめる。
　　②縫い代に2枚一緒にロックミシンをかける。
　　③肩から前後それぞれ9cmぐらいは、
　　　縫い代を身頃側に倒し、肩章をよけて
　　　身頃袖ぐりにステッチを2本かける。
15　後ろ内ベルトを作り、後ろ身頃の当て布に通す。→図
16　ボタンとドットボタンをつける。
17　フードには1m30cm、
　　裾には1m40cmの綿コードを通す。
　　綿コードの端にはループエンドをつけておく。

●使用量
・表布（p.34）＝137cm幅
　（S、M）3m50cm、（L）3m70cm
・接着芯＝90cm幅
　（S、M）80cm、（L）90cm
・オープンファスナー＝46cm1本
・綿コード＝太さ0.4cm
　（S、M）2m70cm、（L）3m20cm
・ループエンド＝4個（綿コード用）
・ゴムテープ＝1.5cm幅19cm（後ろ内ベルト用）／
　0.5cm幅25cm（袖口、袖ぐりのライナーとめ用）
・ドットボタン＝直径1.5cm8組み（内1組みはライナー用）
・ボタン＝直径1.7cm26個／1.4cm2個（後ろ内ベルト用）
・はと目かん＝内径0.6cm3組み

●サイズ表（単位はcm）

	名称＼サイズ	S	M	L
ヌード寸法	身長	155～160	160～170	170～180
	胸回り	86～92	90～96	94～100
	ウエスト	74～80	78～84	82～88
出来上り寸法	着丈	77.5	79.5	83.5
	胸回り	106.5	110.5	118.5
	ウエスト	102	106	114
	ヒップ	102	106	114
	袖丈	59.5	61.5	65.5

front

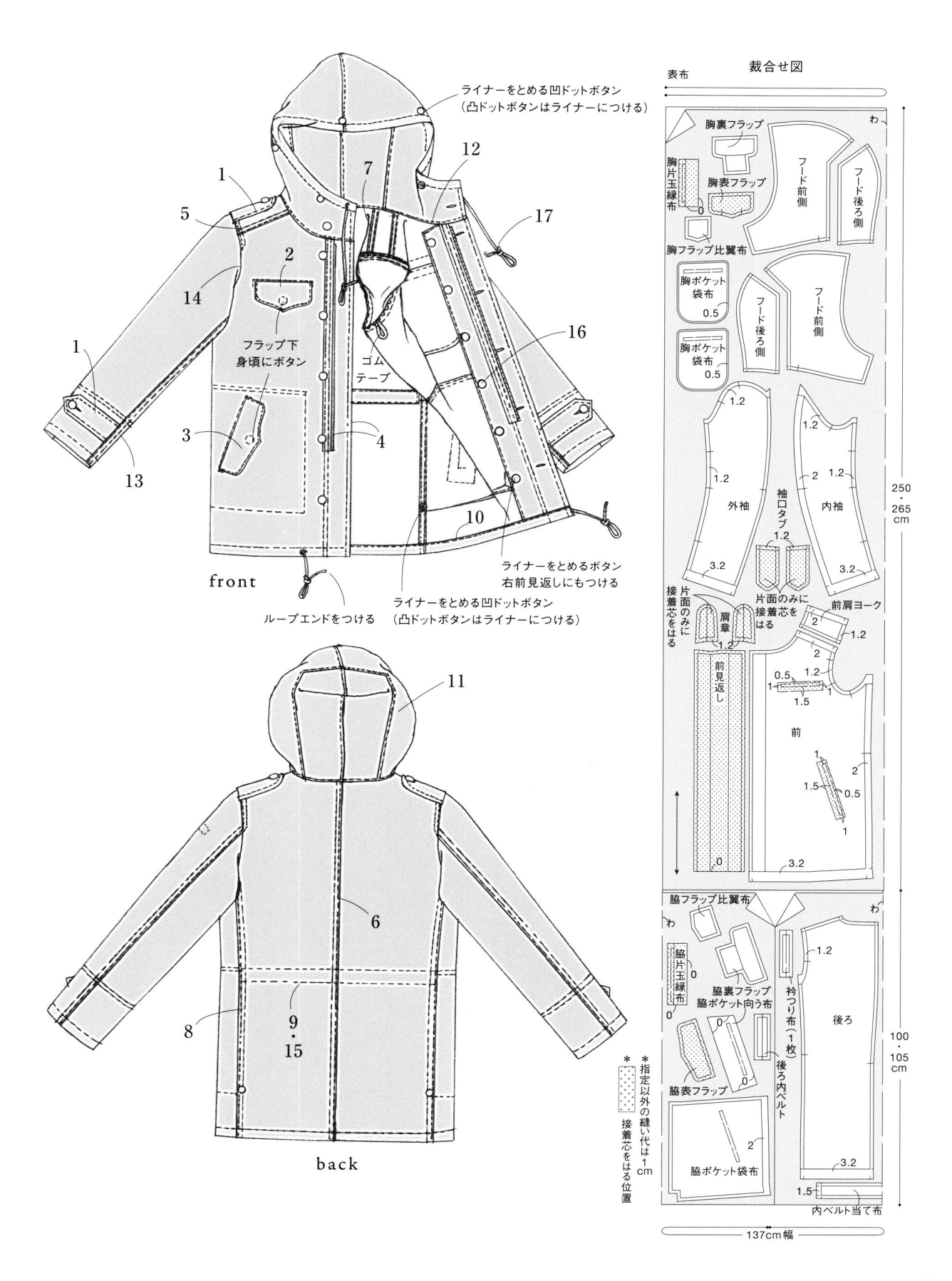

1
5
14
1
2
3
4
13
7
12
17
16
10

ライナーをとめる凹ドットボタン
（凸ドットボタンはライナーにつける）

フラップ下
身頃にボタン

ゴム
テープ

ライナーをとめるボタン
右前見返しにもつける

ライナーをとめる凹ドットボタン
（凸ドットボタンはライナーにつける）

ループエンドをつける

back

11
6
8
9・15

裁合せ図

表布

胸裏フラップ
胸表フラップ
胸片玉縁布
胸フラップ比翼布
胸ポケット袋布 0.5
胸ポケット袋布 0.5
フード前側
フード後ろ側
フード前側
フード後ろ側

外袖
内袖
袖口タブ

1.2
1.2
1.2
2
1.2
1.2
3.2
3.2

肩章
片面のみに
接着芯をはる

前肩ヨーク
2
1.2
2
0.5 1.2
1 1
1.5

前見返し
片面のみに
接着芯をはる

前

1
2
1.5
0.5
1
3.2

250・265 cm

脇フラップ比翼布
脇片玉縁布
脇裏フラップ
脇ポケット向う布
衿つり布（1枚）
後ろ内ベルト

後ろ

1.2
3.2
1.5

脇表フラップ
脇ポケット袋布
2

内ベルト当て布

137cm幅

100・105 cm

＊指定以外の縫い代は1cm
＊＊接着芯をはる位置

2 胸のフラップポケットを作る

1

裏フラップの角に切込みを入れ、下側を外表に折ってボタンホールを作る。次に折り上げた部分にフラップ比翼布を中表に重ね、両サイドを縫う。

2

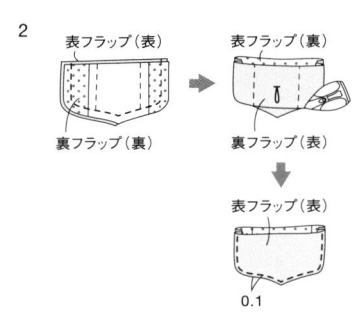

表フラップと1の裏フラップを中表に合わせて外回りを縫う。表に返してアイロンで整え、表フラップ側からステッチをかける。

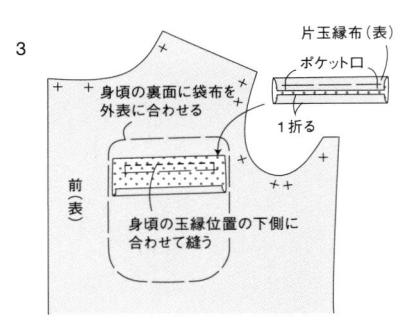

3

前身頃裏面の胸ポケット位置に袋布を外表に合わせ、身頃表面の玉縁位置の下側に、玉縁布を中表に合わせ、出来上り〜出来上りまでを縫う。

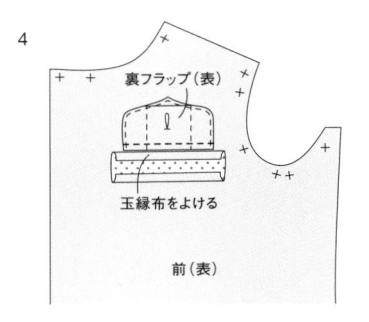

4

玉縁布の縫い代をよけ、上側の玉縁位置に表フラップを中表に合わせて縫う。

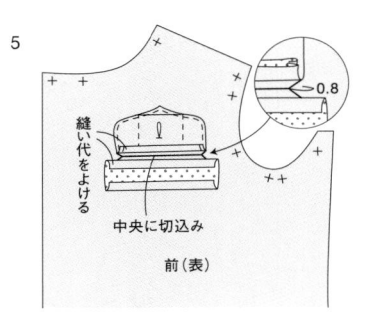

5

フラップと玉縁布の縫い代をよけ、3と4の縫い目の中間に切込みを入れる。

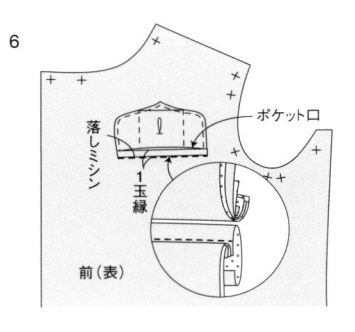

6

玉縁布を前身頃の裏面に返してポケット口の玉縁を整え、表から落しミシンをかける。

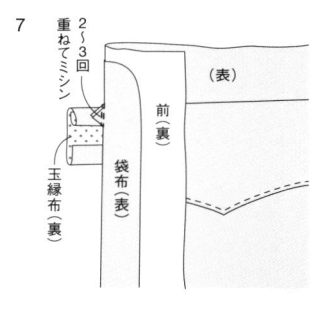

7

玉縁両端の三角の縫い代を、内側から玉縁布に2〜3回重ねてミシンをかけてとめる。

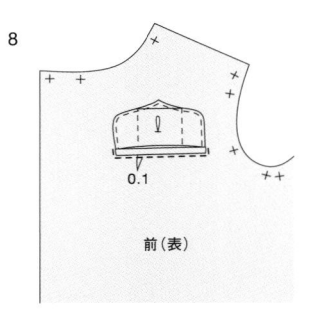

8

玉縁布の両端〜下側にステッチをかける。

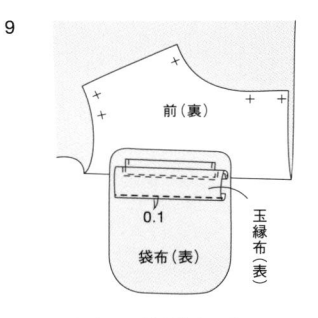

9

玉縁布の下端を袋布に縫いとめる。

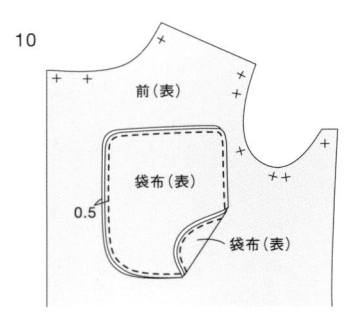

10

ポケット口から袋布を身頃表面に引き出し、もう1枚の袋布を外表に重ねて、周囲を0.5cmの縫い代で縫う。

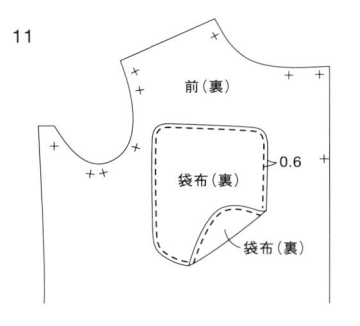

11

2枚の袋布をポケット口から前身頃の裏面に返し、周囲を縫って袋縫いにする。

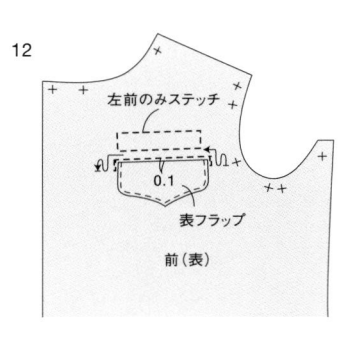

12

身頃の表面から玉縁の端〜フラップの外側に、袋布まで通してミシンをかける。玉縁の端はしっかり返し縫いをする。左前身頃は、最後にフラップの上に袋布をよけて、長方形にステッチをかける。

3 脇のフラップポケットを作る

1

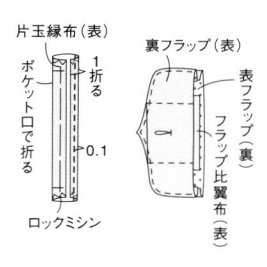

片玉縁布（表）
裏フラップ（表）
表フラップ（裏）
フラップ比翼布（表）
ポケット口で折る
1折る
0.1
ロックミシン

p.52 1・2を参照してフラップを作る。片玉縁布は上下の布端にロックミシンをかけ、玉縁側はポケット口をアイロンで折り、前端側は1cm折ってミシンで縫いとめる。

2

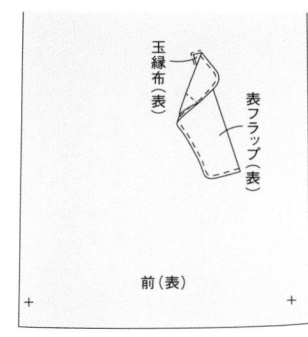

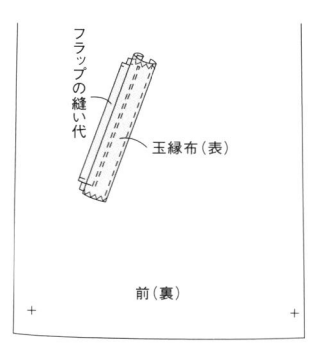

玉縁布（表）
表フラップ（表）
フラップの縫い代
玉縁布（表）
前（表）
前（裏）

p.52 3～7を参照して前身頃の玉縁位置に、玉縁布、フラップをつける。

3

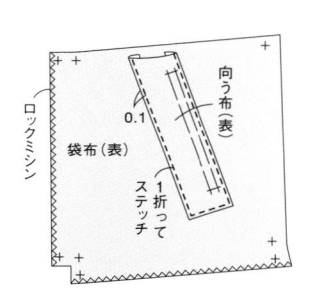

ロックミシン
0.1
袋布（表）
向う布（表）
1折ってステッチ

袋布は前端側と下側にロックミシンをかけておく。向う布の上端以外の3辺の縫い代を折り、袋布表面に重ねてステッチで縫いとめる。

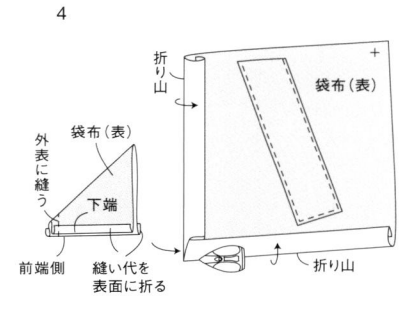

4

折り山
袋布（表）
袋布（表）
外表に縫う
下端
前端側
縫い代を表面に折る
折り山

袋布の前端と下端の縫い代を表面に折り、前端下側の角を外表に縫う。次に前端側と下側のまち分をアイロンで表面に折る。

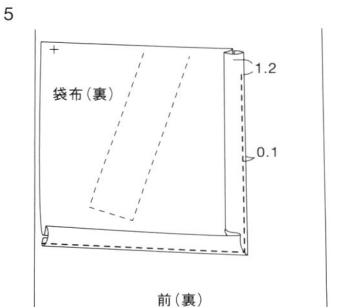

5

袋布（裏）
1.2
0.1
前（裏）

前身頃の裏面に袋布の前端側と下側を縫いとめる。前端側の上端は、出来上りから1.2cmを縫い残す。

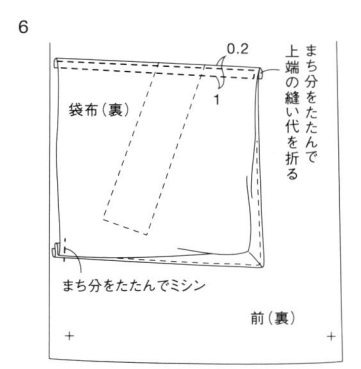

6

0.2
まち分をたたんで上端の縫い代を折る
袋布（裏）
1
まち分をたたんでミシン
前（裏）

袋布の前端側のまち分をたたんで上側の縫い代を折り、2本のステッチをかける。下側の脇は、まち分をたたんで縫い代を縫いとめておく。

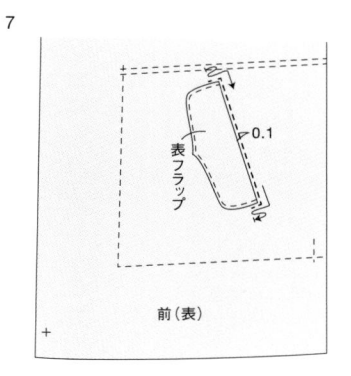

7

表フラップ
0.1
前（表）

身頃の表面から玉縁の上側～フラップの外側～玉縁の下側に、袋布まで通してミシンをかける。玉縁の上下はしっかり返し縫いをしておく。

4 前端を縫い、オープンファスナーをつける

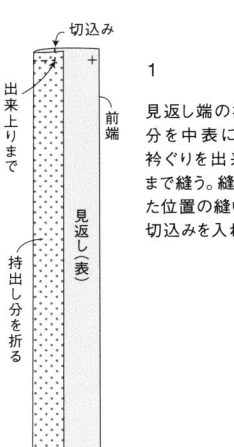

1 見返し端の持出し分を中表に折り、衿ぐりを出来上りまで縫う。縫いとめた位置の縫い代に切込みを入れる。

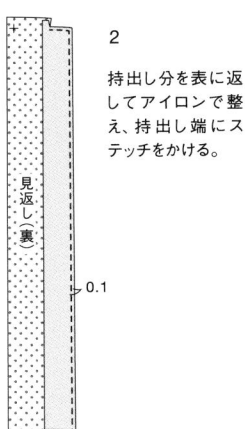

2 持出し分を表に返してアイロンで整え、持出し端にステッチをかける。

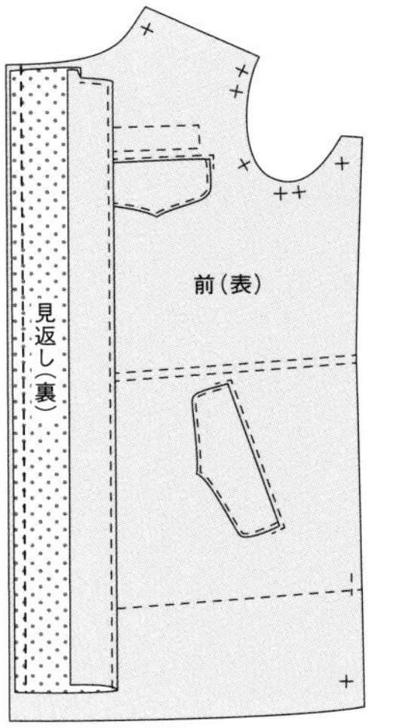

3 前身頃の表面に見返しを中表に合わせ、前端を縫う。

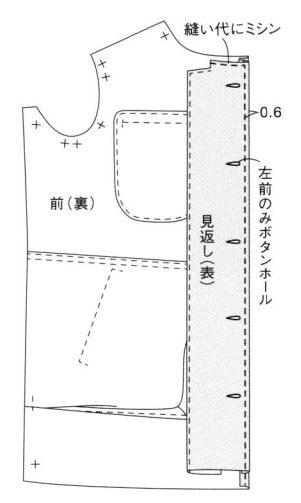

4 見返しを前身頃の裏面に返して整え、前端にステッチをかけ、続けて衿ぐりの縫い代をミシンで縫いとめる。次に左前身頃にはボタンホールを作る。

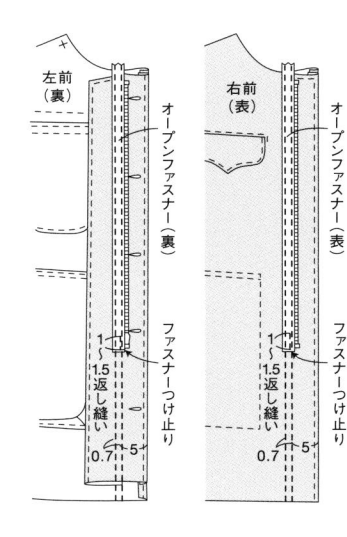

5 オープンファスナーを開き、左右を別々にして前端につける。左前身頃は裏面の見返しにオープンファスナーを中表に合わせて2本のステッチでとめつける。もう一方のファスナーは、表面を上にして右前身頃の表面のつけ位置にのせ、2本のステッチでとめつける。それぞれファスナーつけ止りで、補強のために1〜1.5cm返し縫いをして、裾までステッチをかける。

9 後ろ内ベルト当て布をつける

1 後ろ内ベルト当て布の両脇縫い代を折ってミシンで押さえ、上下の縫い代を折る。

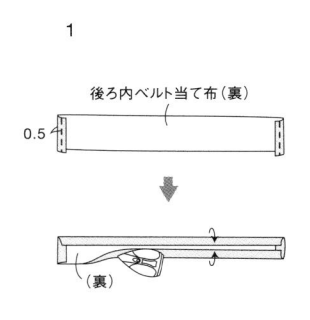

2 後ろ身頃裏面のつけ位置に当て布を外表に合わせ、上下をミシンで縫いとめる。

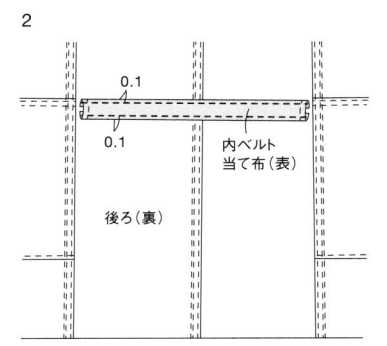

15 後ろ内ベルトを作って通す

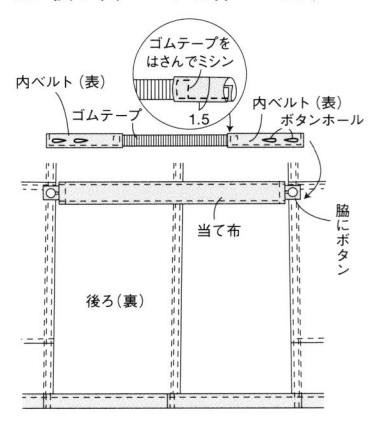

内ベルトを1.5cm幅に折り、ゴムテープの両端に縫いとめ、ボタンホールを作る。後ろ身頃の当て布の両脇にボタンをつけてから、当て布に内ベルトを通し、ボタンをとめる。

11 フードを作る

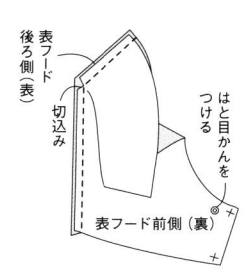

1 表フードになる2枚のフード前側の前端にはと目かんをつけ、フード後ろ側と中表に合わせて縫う。このとき、フード前側の角は縫い代に切込みを入れて縫う。

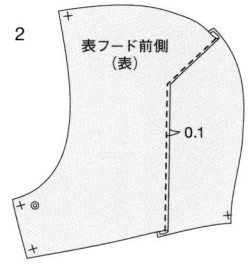

2 縫い代をフード前側に倒し、ステッチをかける。

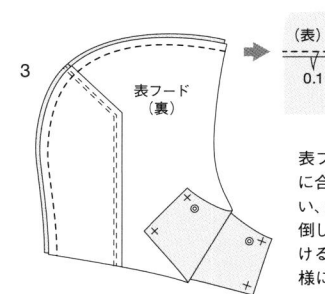

3 表フード2枚を中表に合わせて中央を縫い、縫い代を片側に倒してステッチをかける。裏フードも同様に縫い合わせる。

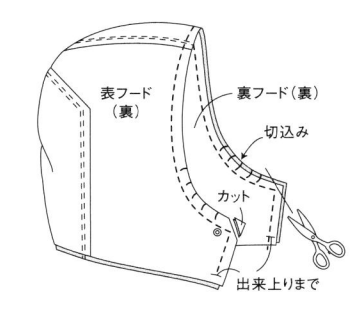

4 表、裏フードを中表に合わせて前端側を縫い、カーブの縫い代に切込みを入れる。角は縫い代を斜めにカットしておく。

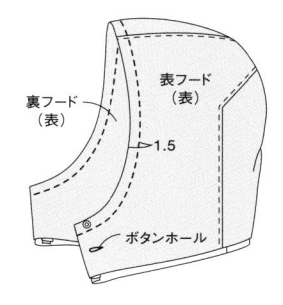

5 フードを表に返し、前端側にステッチをかける。左前端だけにボタンホールを作る。

12 フードをつける

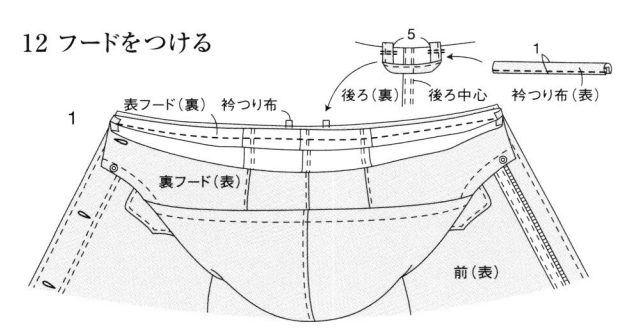

1 身頃裏面の後ろ中心に衿つり布を仮どめしてから、身頃の衿ぐりに表フードを中表に合わせ、裏フードをよけて衿ぐりを縫う。

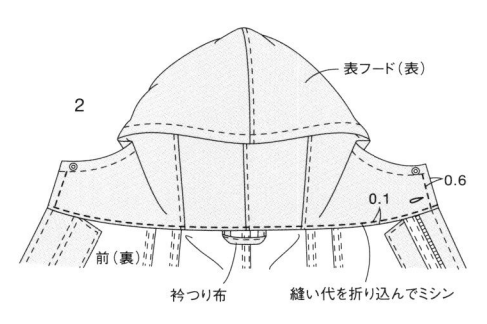

2 縫い代をフード側に倒し、裏フードの縫い代を折り込んで際を縫いとめる。フードの前端にもステッチをかける。

13 袖を作る

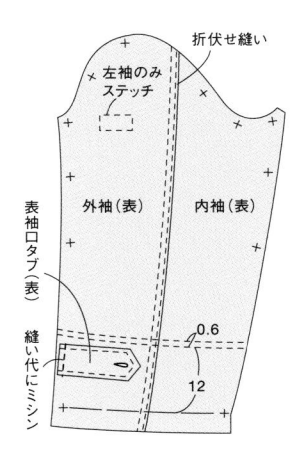

1 内袖と外袖の後ろ側切替え線を折伏せ縫いで縫い合わせる。次に袖口にステッチを2本かけ、袖口タブを仮どめする。

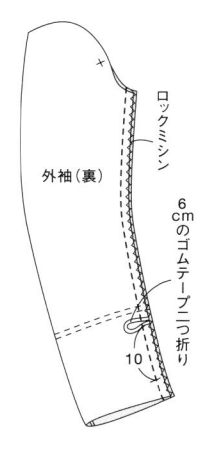

2 袖を中表に折って袖下を縫う。このとき外袖側に二つ折りにしたゴムテープを当てて一緒に縫う。縫い代は2枚一緒にロックミシンで始末する。

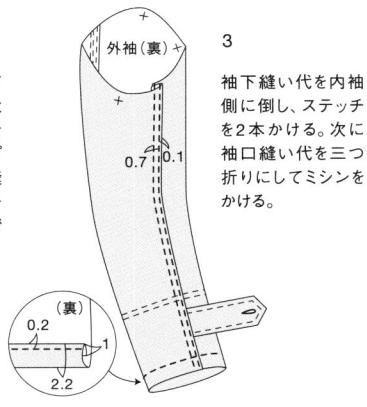

3 袖下縫い代を内袖側に倒し、ステッチを2本かける。次に袖口縫い代を三つ折りにしてミシンをかける。

no.4 Liner
NATOタイプ フィールドパーカー ボアライナー p.31

●使用パターン（A面：作品の打合せに合わせた左パターン）
ライナー後ろ身頃　ライナー前身頃　ライナーフード
ライナー外袖　ライナー内袖　ライナー袖口リブ

●縫い方順序
1. 袖に中わたを裏打ちする。
   内袖、外袖の裏面に中わたを重ね、
   周囲の縫い代を粗い針目のミシンで縫いとめる。→p.49 4
2. 裏布、ボアともそれぞれの肩を縫い、縫い代を割る。
3. 裏布、ボアともそれぞれの脇を縫い、縫い代を割る。
4. 裏布のフードを縫う。
   ①ダーツを縫い、縫い代を上側に倒してステッチをかける。
   ②フード2枚を中表に合わせて中央を縫い、縫い代を割る。
   ③②の縫い目表面に綾織りテープを重ねて縫いとめる。
5. ボアのフードを縫う。
   ①ダーツを縫い、縫い代を下側に倒す。
   ②フード2枚を中表に合わせて中央を縫い、縫い代を割る。
6. フードをつける。→図
7. 袖を縫い合わせる。→p.49 4
8. 袖をつける。
   ①裏布の身頃の袖ぐりに、
   中わたを裏打ちした袖を中表に合わせて縫う。
   ②ボアの身頃の袖ぐりに、
   裏布の袖を中表に合わせて縫う。
9. 袖口を縫い、裏布とボアを外表に整える。→図
10. 裾の始末をする。
    二つ折りにした綾織りテープで、
    裏布とボア2枚の裾を一緒にはさんでミシンをかける。
11. 前端、フード回りを
    綾織りテープで始末する。→p.49 8
12. 前端にボタンホールを作る。
13. フード回り、脇に凸ドットボタンをつける。
14. 袖口、袖ぐり下側にボタンをつける。

●使用量
- ボア=147cm幅
  （S、M）1m20cm、（L）1m30cm
- 裏布=122cm幅
  （S、M）2m50cm、（L）2m70cm
- リブニット=80cm幅20cm
- 中わた（薄手）=125cm幅70cm
- 綾織りテープ=2.5cm幅
  （S）5m80cm、（M）6m10cm、
  （L）6m60cm
- ボタン=直径1.4cm 4個

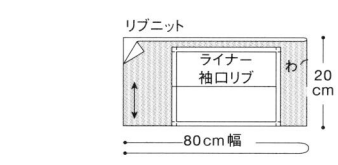

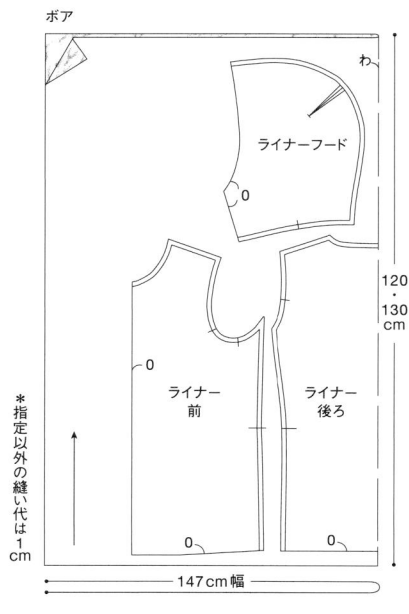

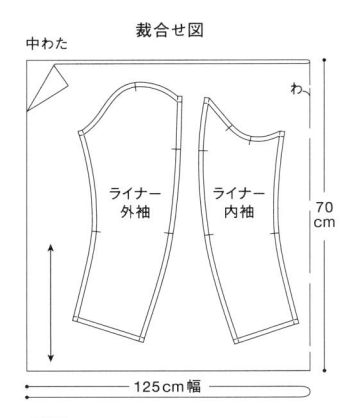

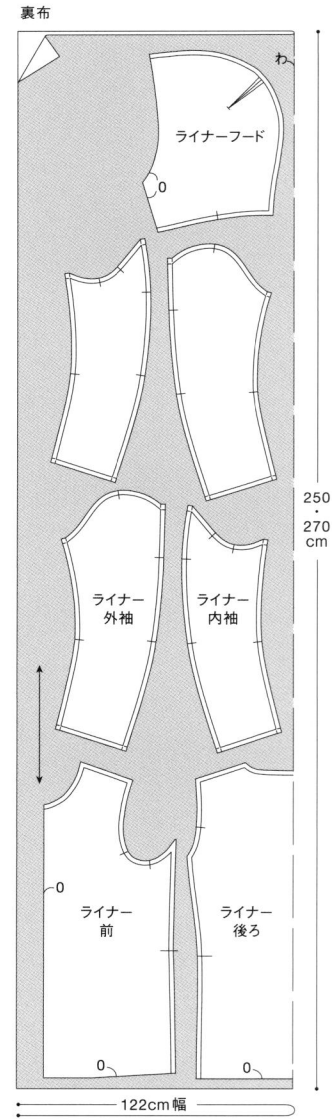

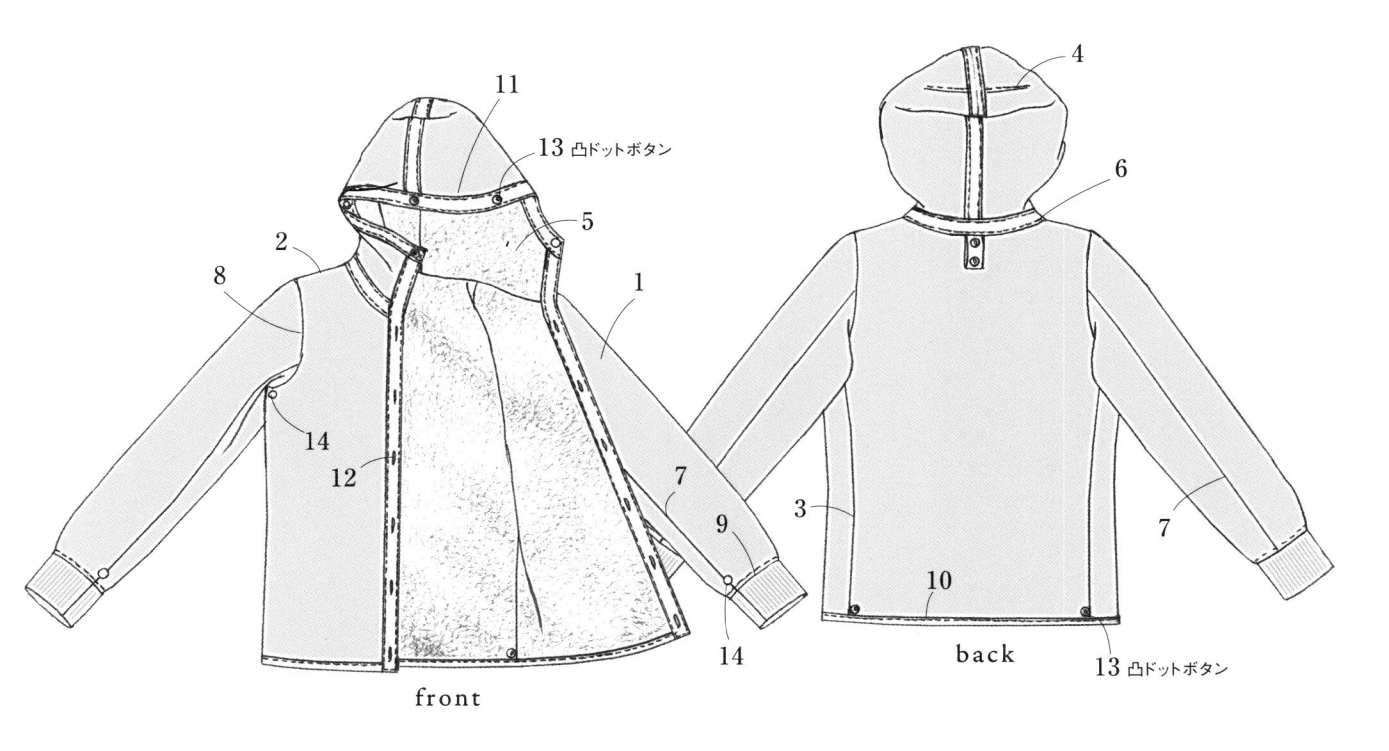

front
back
13 凸ドットボタン

6 フードをつける

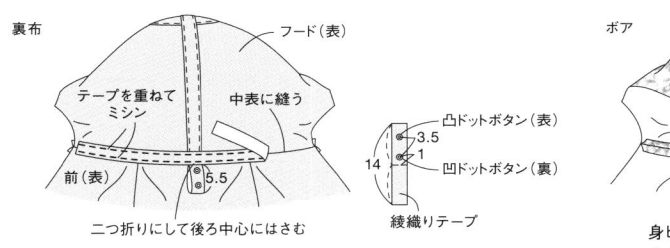

裏布
フード(表)
テープを重ねてミシン
中表に縫う
前(表)
二つ折りにして後ろ中心にはさむ
綾織りテープ
凸ドットボタン(表)
3.5
14　1
5.5
凹ドットボタン(裏)

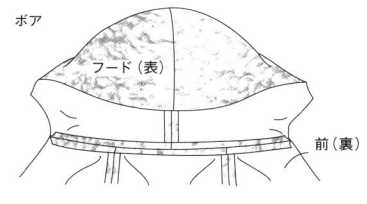

ボア
フード(表)
前(裏)
身頃の衿ぐりにフードを中表に合わせて縫い、縫い代を割る。

身頃の衿ぐりにフードを中表に合わせて縫い、縫い代を割る。次に衿ぐりの表面に綾織りテープを重ね、テープの両端をミシンで縫いとめる。このとき、ドットボタン1組みをつけたテープを二つ折りにして後ろ中心にはさむ。

9 袖口を縫い、裏布とボアを外表に整える

1
袖口リブ(裏)　袖口リブ(表)
中わたを裏打ちした袖
(裏)
袖口リブ
リブを伸ばしてミシン

2
突き合わせるようにして中表に縫う
裏布前(裏)
ボア前(表)

3
裏布フード(表)
0.5〜0.8
❷縫い代を中とじする
ボアフード(表)
❶0.5ステッチ
ボア後ろ(表)
裏布後ろ(裏)
❸0.5〜0.8ミシン

袖口リブを中表に折って袖下を縫い、縫い代を割って袖口から外表に折る。次に中わたを裏打ちした袖の袖口に、袖口リブを中表に合わせ、リブを伸ばしながらミシンをかける。

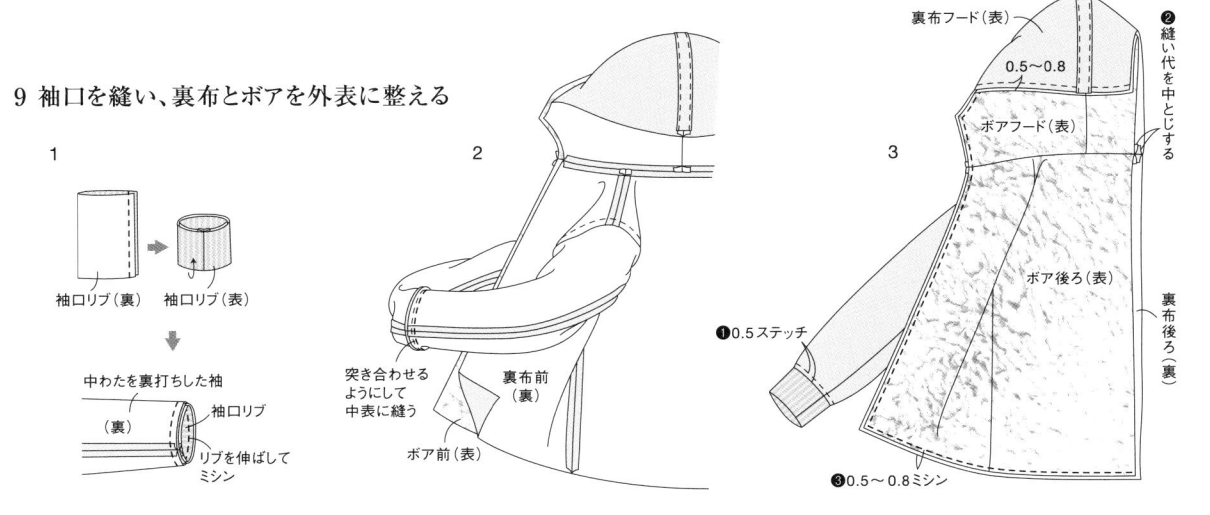

ボアの身頃と裏布の身頃を中表に合わせ、図のように袖口を突き合わせるようにして中表に合わせて縫う(2枚の袖口でリブをはさんだ状態で縫う)。

身頃を表に返してボアと裏布の身頃、フード、袖を外表に整え、袖口にステッチをかける。次にフードつけ縫い代を中とじし、裏布とボアのフード回り〜前端〜裾を外表に合わせて布端をミシンで縫いとめる。

no. 5 & 6 N3-B type Flight Jacket
N3-Bタイプ フライトジャケット 中わた入り p.18, 20

●使用パターン(C面:作品の打合せに合わせた左パターン)
後ろ身頃　後ろひも通し当て布　前身頃　左前端ブラケット
右前持出し　右前端持出し裏ボア　胸ポケット口布
胸ポケット向う布　胸ポケット手前袋布　胸ポケット向う袋布
フラップ　腰ポケット口布　腰ポケット向う布　腰ポケット手前袋布
腰ポケット向う袋布　内ラグラン袖　前ラグラン袖
外ラグラン袖上段　外ラグラン袖中段　外ラグラン袖下段
左袖ポケット　左袖ポケットペンホルダー下　左袖ポケットペンホルダー上
フード前側　フード後ろ側　フード中心布　フード端布
フードベルト布　フードベルトバックルとめ布　裏後ろ身頃　裏前身頃
衿つり布　裏内ラグラン袖　裏外ラグラン袖　裏前ラグラン袖
袖口見返し　袖口リブ　フード内側　フード内側中心布
フード前端見返し　フード端ファー右　フード端ファー左
フード端ファー裏布　フード端ファー土台布

●縫い方順序
1　腰ポケットを作る。→図
2　胸ポケットを作る。→図
3　後ろ身頃と前身頃を縫い合わせる。
　　縫い代は前身頃側に倒し、ステッチを2本かける。
4　後ろ身頃の裏面にひも通し当て布をつける。
　　①ひも通し当て布の両端の縫い代を折って
　　　ミシンで押さえる。
　　②当て布を後ろ身頃裏面のつけ位置に
　　　当てて、上下にステッチをかける。
5　左袖ポケットを作ってつける。→図
6　袖を縫い合わせる。→図
7　袖をつける。
　　①身頃のラグラン線に袖を中表に合わせて縫う。
　　②縫い代を身頃側に倒してステッチをかける。
8　フードベルトを作ってつける。→図
9　フードを縫い合わせる。→図
10　フードをつける。
　　①身頃の衿ぐりにフードを中表に合わせて縫う。
　　②縫い代を身頃側に倒してステッチをかける。
11　左前端ブラケットを作る。→図
12　右前持出しを作る。→図
13　裏身頃を縫い合わせる。
14　裏袖を縫い合わせる。→図
15　裏身頃と裏袖を縫い合わせる。
16　内側のフードを縫い合わせる。→図
17　表布のフードつけと同じ要領で、
　　裏身頃に内側のフードをつける。
18　表身頃と裏身頃を縫い合わせる。→図
19　右前身頃とフードの内側にボタンをつける。
　　右前身頃のボタンは裏面に力ボタンをつけるが、
　　第2、3ボタンは胸ポケットの袋布があるので、
　　上側の袋布までをすくって力ボタンを当ててつける。
20　フード、ウエスト、裾にひもを通す。
　　ひもの端にはループエンドをつける。
21　取り外しフード端ファーを作る。→図

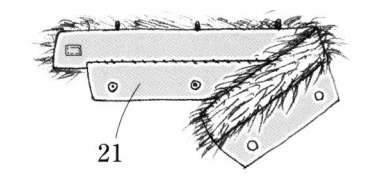

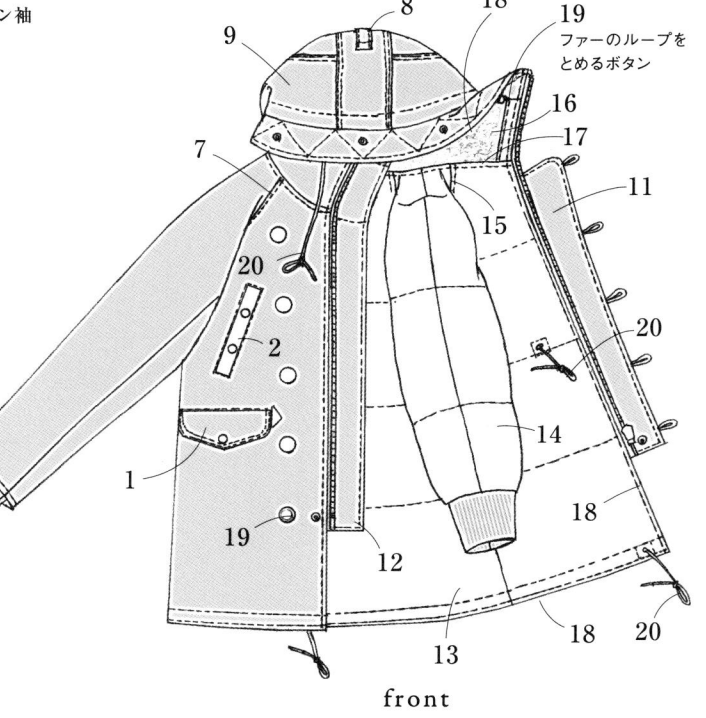

front

●サイズ表(単位はcm)

名称	サイズ	S	M	L
ヌード寸法	身長	155~160	160~170	170~180
	胸回り	86~92	90~96	94~100
	ウエスト	74~80	78~84	82~88
出来上り寸法	着丈	79.5	81.5	85.5
	胸回り	104.5	108.5	116.5
	ウエスト	106	110	118
	ヒップ	107.5	111.5	119.5
	ゆき丈	81.5	84.5	90.5
	袖丈	60.5	62.5	66.5

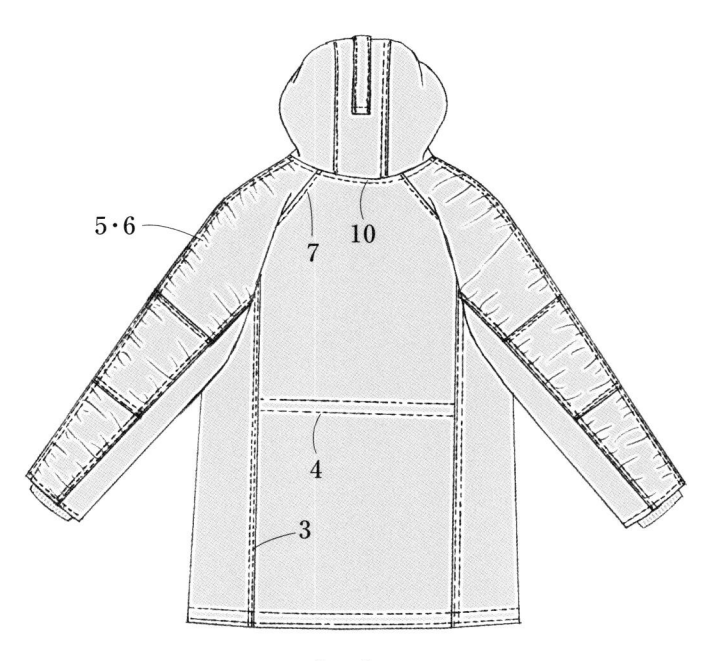

back

裁合せ図

●使用量
- 表布（p.34）＝125cm幅
  （S、M）3m70cm、（L）3m90cm
- 接着芯（no.6のみ）＝90cm幅
  （S、M）80cm、（L）90cm（no.5は裏布用に少々）
- ボア＝145cm幅70cm
- リブニット＝80cm幅30cm
- ファー＝8デシ（1デシは10cm四方）
- 裏布＝122cm幅
  （S、M）2m、（L）2m20cm
- 中わた（厚手）＝125cm幅
  （S、M）1m80cm、（L）2m
- 中わた（薄手）＝125cm幅
  （S、M）90cm、（L）1m
- スレキ＝102cm幅50cm（袋布用）
- 革＝3×3cm2枚、2.5×2.5cm2枚
- オープンファスナー＝71cm1本
- ファスナー＝12cm1本（左袖ポケット用）
- 面ファスナー＝2.5cm幅3.5cm
- 綿コード＝太さ0.4cm／40cm（左前端ループ用）／
  1m（フード用）／1m30cm（ウエスト内ひも用）／
  1m30cm（裾用）
- ループエンド＝6個
- ボタン＝直径2.9cm5個（前あき用）／
  1.1cm5個（前あき　力ボタン用）／
  1.1cm5個（フード内側用）
- 丸ゴム＝20cm
- ドットボタン＝直径1.5cm12組み
- はと目かん＝内径0.5cm6組み
- アジャスターバックル＝内径2.5cm1個
  （フードベルト用）

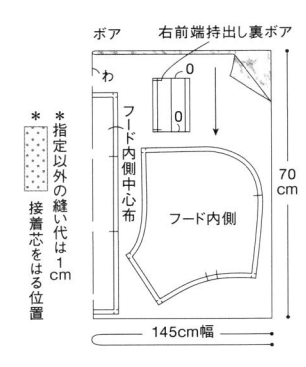

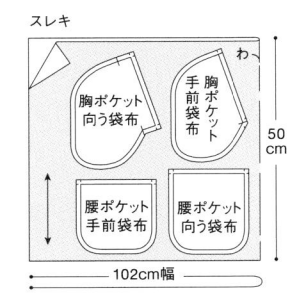

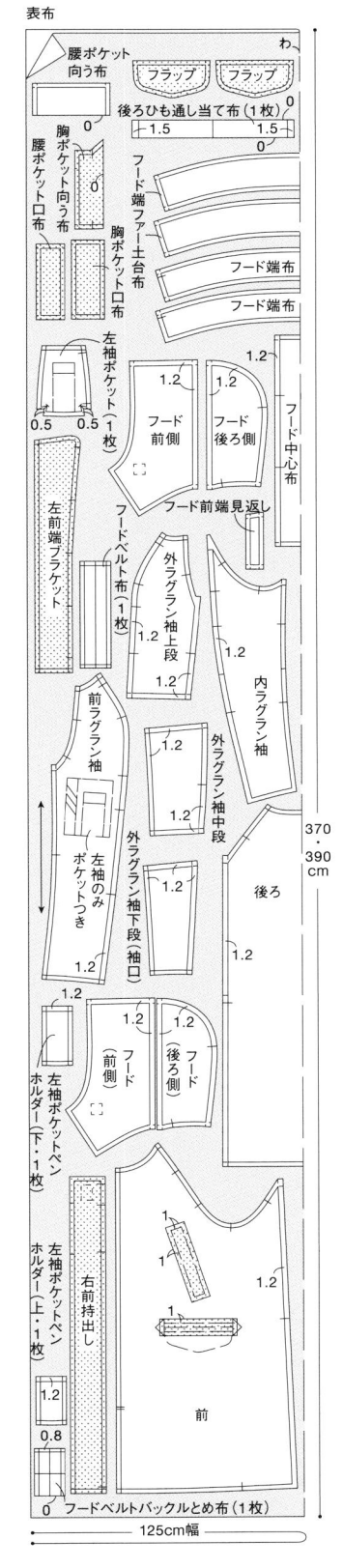

＊指定以外の縫い代は1cm
接着芯をはる位置

59

ファーの裁ち方

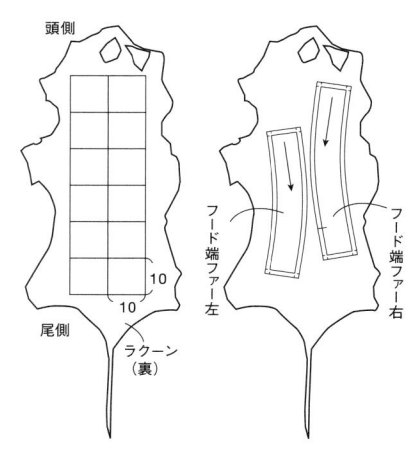

頭側

尾側

ラクーン（裏）

フード端ファー左　フード端ファー右

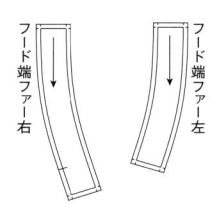

フード端ファー右　フード端ファー左

ファーは頭から尾に向かう毛並みに合わせてパターンを置きますが、生地と違い厳密に毛並みの方向を合わせる必要はありません。

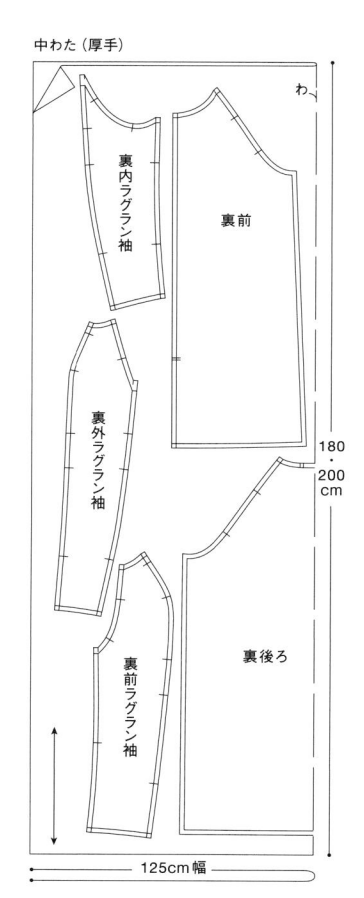

リブニット

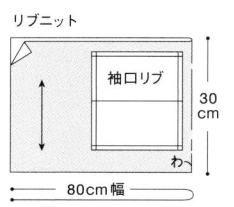

袖口リブ　30cm

80cm幅

裏布

右端　左端
右端のみ3　1
袖口見返し
フード端ファー裏布
裏内ラグラン袖
裏前　4.5　4.5
裏外ラグラン袖
4.5　4.5
衿つり布（1枚）
裏前ラグラン袖
裏後ろ
200・220cm
122cm幅

中わた（厚手）

裏内ラグラン袖
裏前
裏外ラグラン袖
裏前ラグラン袖
裏後ろ
180・200cm
125cm幅

中わた（薄手）　裁合せ図

フード端布
胸ポケット口布　フラップ
わ
袖口見返し
右前持出し　左前端ブラケット　フード中心布
1.2　1.2　1.2
フード前側　フード後ろ側
90・100cm
125cm幅

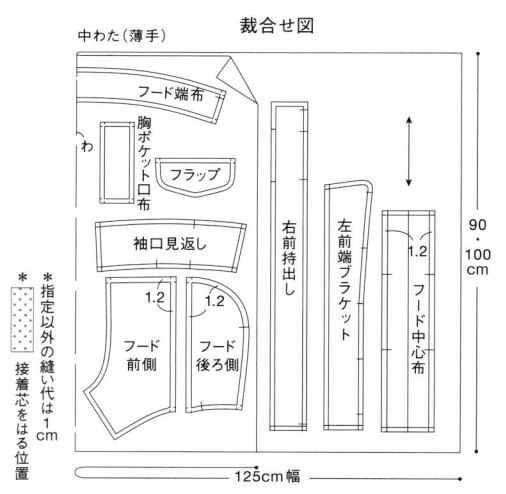

*指定以外の縫い代は1cm
* 接着芯をはる位置

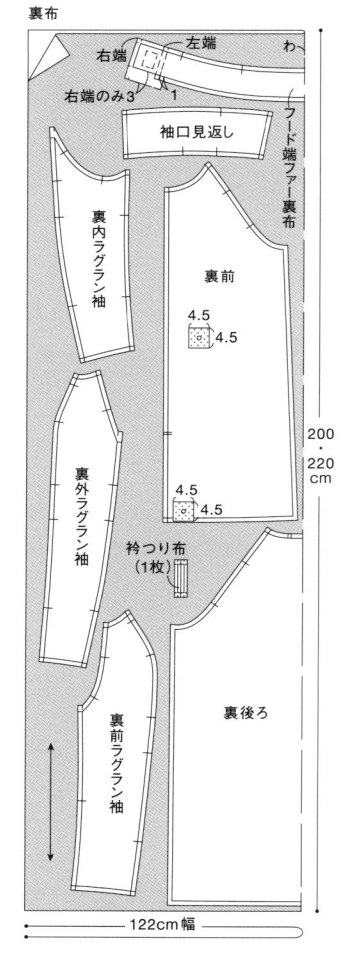

1 腰ポケットをつける

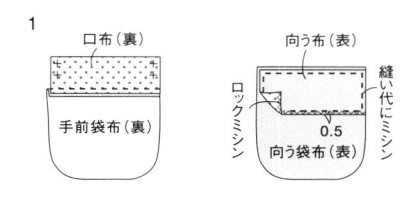

1
手前袋布は口布と縫い合わせ、縫い代を袋布側に倒す。向う袋布は下端にロックミシンをかけた向う布を表面に重ねて周囲を縫いとめる。

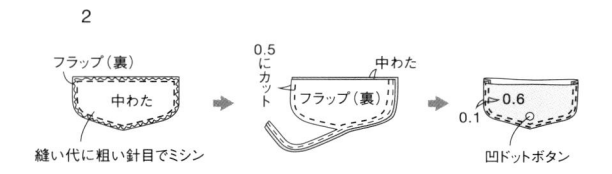

2
フラップは1枚の裏面に中わたを重ね、周囲を粗い針目のミシンで縫いとめてから、2枚を中表に合わせて外回りを縫う。縫い代を細くカットして表に返し、ステッチを2本かけて凹ドットボタンをつける。

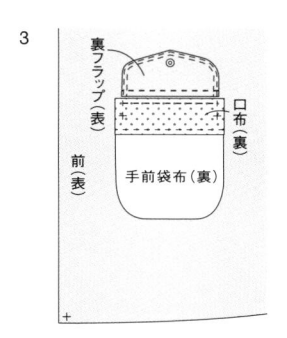

3
前身頃表面の口布位置の上側にフラップを、下側に口布をそれぞれ中表に合わせて縫う。

4
p.52-5～8を参照して切込みを入れ、袋布を身頃の裏面に返して口布を整え、口布両サイドと下側にステッチをかける。フラップの凹ドットボタンと位置を合わせて、前身頃に凸ドットボタンをつける。

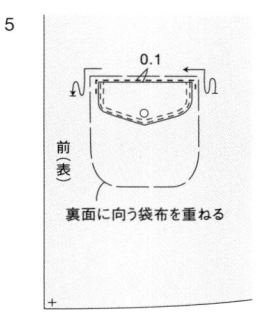

5
身頃裏面の手前袋布に、向う袋布を中表に合わせて重ね、口布の両サイド～フラップの上側にステッチをかける。

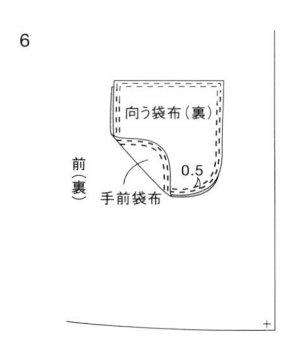

6
袋布の周囲を縫う。縫い代側にもう1本ミシンをかけておく。

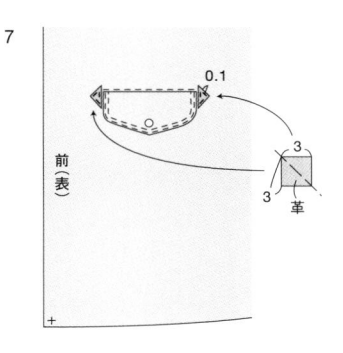

7
革を三角にカットし、口布の両サイドに縫いとめる。

2 胸ポケットを作る

1

口布は裏面に中わたを重ねて周囲に粗い針目のミシンをかけ、向う布は下端にロックミシンをかけておく。手前袋布は口布を中表に合わせて縫い、縫い代を袋布側に倒す。向う袋布は表面に向う布を重ねて周囲を縫いとめる。

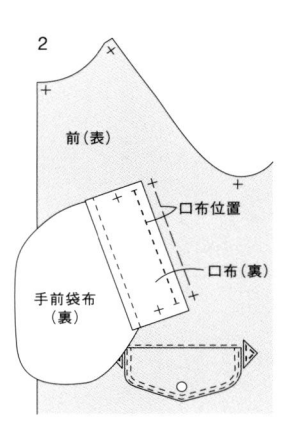

2

前身頃の口布位置の中心側に、口布を中表に合わせて縫う。

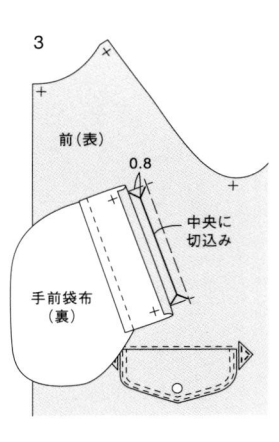

3

口布の縫い代をよけ、前身頃の口布位置の中央に切込みを入れる。

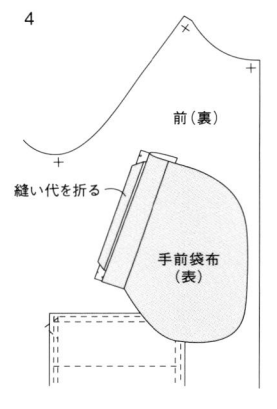

4

切込みから手前袋布を身頃の裏面に返し、口布を出来上り幅に整える。切込みの縫い代も裏面に折っておく。

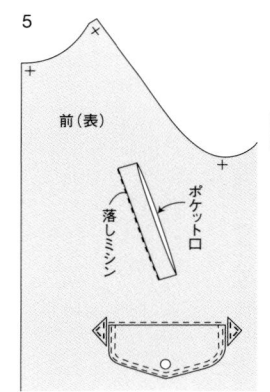

5

身頃の表面から口布つけ縫い目に落しミシンをかける。

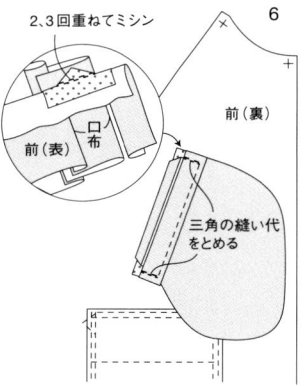

6

口布の上下の三角の縫い代を、しっかり縫いとめる。

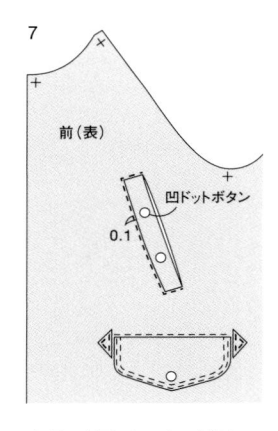

7

身頃の表面から口布の外回りにステッチをかけ、凹ドットボタンをつける。

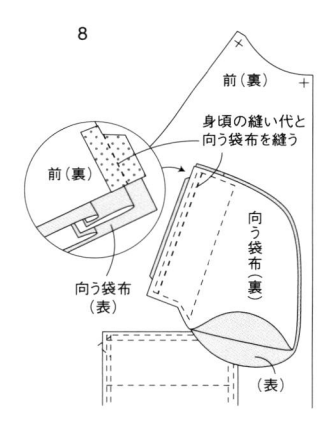

8

裏面の手前袋布に、向う袋布を中表に合わせ、口布位置の脇側の縫い代と向う袋布を縫い合わせる。

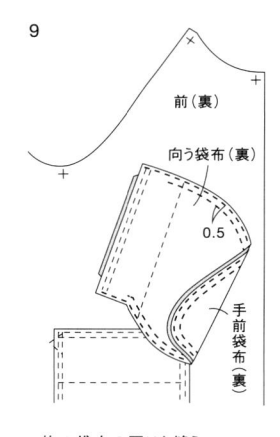

9

2枚の袋布の回りを縫う。

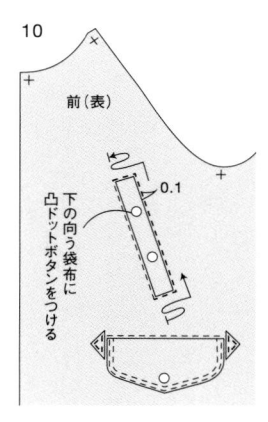

10

口布上下～ポケット口にステッチをかける。口布の凹ドットボタンと位置を合わせて、向う袋布に凸ドットボタンをつける。

5 左袖ポケットを作ってつける

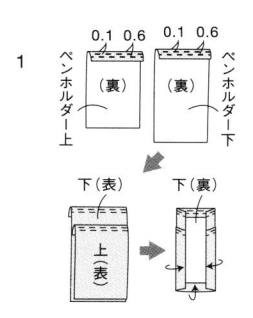

1 ペンホルダー上、下の上端縫い代を折ってステッチをかけ、2枚を重ねて残りの縫い代をアイロンで折る。

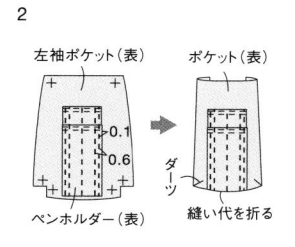

2 左袖ポケットの表面にペンホルダーを重ねて縫いとめる。次にダーツを縫い、両サイドと底の縫い代を裏面に折る。

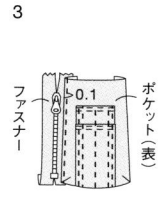

3 ポケット口に、ファスナーを縫いとめる。

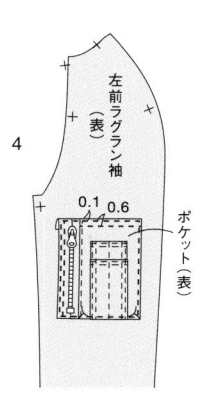

4 左前ラグラン袖のつけ位置にポケットを重ね、周囲を縫いとめる。

6 袖を縫い合わせる

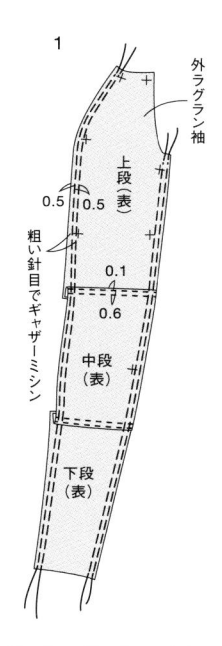

1 外ラグラン袖の上段、中段、下段を縫い合わせる。縫い代は中段側に倒し、ステッチを2本かける。次にギャザーを寄せるために、粗い針目のミシンを2本かける。

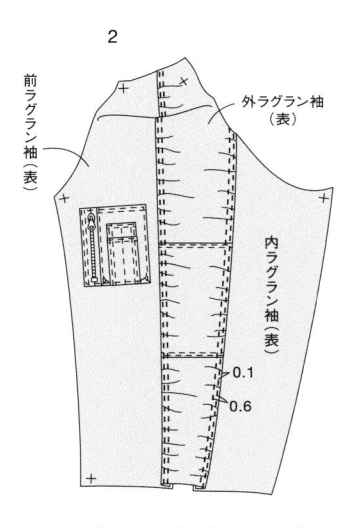

2 外ラグラン袖にギャザーを寄せ、前ラグラン袖、内ラグラン袖と縫い合わせる。縫い代は外ラグラン袖側に倒し、ステッチを2本かける。

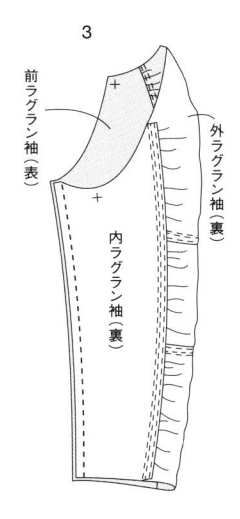

3 袖を中表に折って袖下を縫う。縫い代は割っておく。

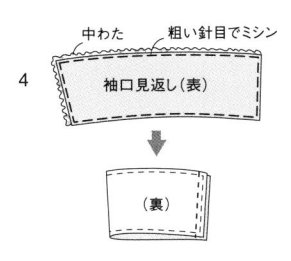

4 袖口見返しの裏面に中わたを重ね、周囲の縫い代に粗い針目でミシンをかけ、中表に折って袖下を縫う。縫い代は割っておく。

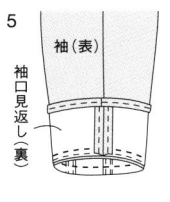

5 袖口見返しの上端の縫い代を折り、袖と中表に合わせて袖口を縫う。

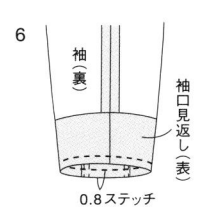

6 見返しを袖の裏面に返してアイロンで整え、袖口にステッチをかける。

8 フードベルトを作ってつける

1 フードベルト布、バックルとめ布とも出来上り幅に縫って表に返し、ステッチをかける。

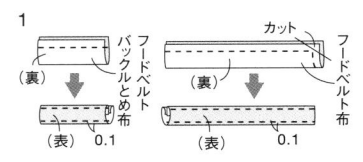

2 フード中心布は裏面に中わたを合わせ、周囲の縫い代に粗い針目のミシンをかけてとめる。次に、表面にベルト布をそれぞれ図のように縫いとめる。

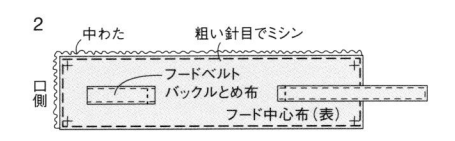

3 ベルト布を起こし、2の縫い目から1cm奥に、2、3回重ねてミシンをかけ、しっかり縫いとめる。このとき、とめ布にはアジャスターバックルに通してからとめる。

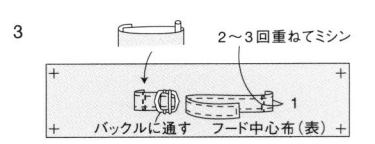

9 フードを縫い合わせる

1 フード前側、フード後ろ側、フード端布の裏面に中わたを合わせ、縫い代に粗い針目でミシンをかける。フード端布は1枚だけに中わたを合わせ、さらにジグザグにステッチをかける。

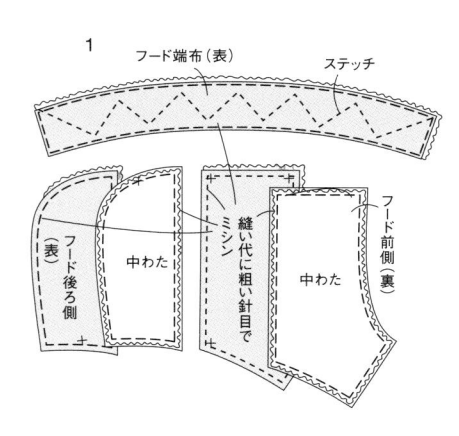

2 フード前側のはと目穴位置に革を当ててステッチで縫いとめ、はと目かんをつけてから、フード後ろ側と縫い合わせる。縫い代は前側に倒してステッチを2本かける。

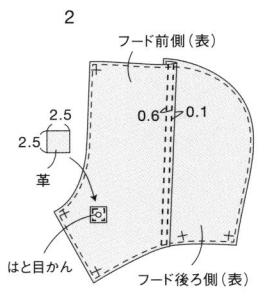

3 フード中心布と2のフードを縫い合わせる。縫い代は中心布側に倒しステッチを2本かける。

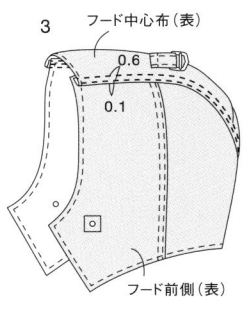

4 3のフードの口側に中わたを合わせたフード端布を中表に合わせて縫う。カーブの縫い代には切込みを入れる。

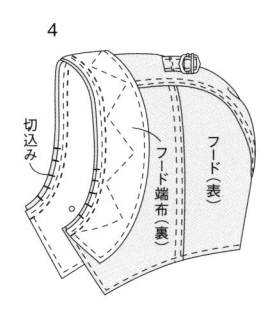

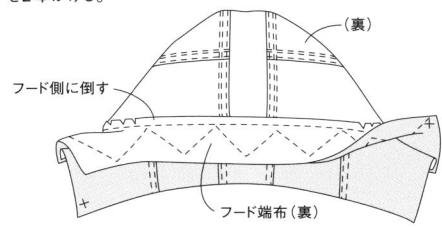

5 4の縫い代をフード側に倒して整える。

11 左前端ブラケットを作る

1 表左前端ブラケットの裏面に中わたを重ね、縫い代に粗い針目でミシンをかける。

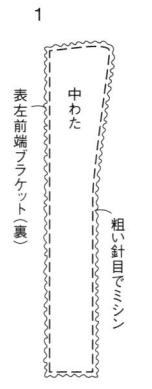

2 表ブラケット表面に、8cmの綿コードを二つ折りにしたループを仮どめする。

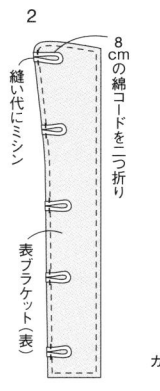

3 表、裏ブラケットを中表に合わせ、つけ側以外の周囲を縫う。カーブの部分は縫い代を細くカットする。

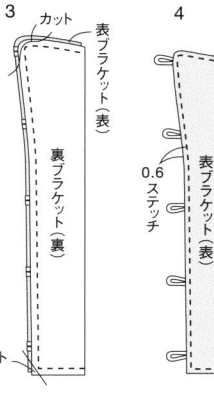

4 表に返してアイロンで整え、ステッチをかける。

12 右前持出しを作る

1 表右前持出しの裏面に中わたを重ね、周囲の縫い代に粗い針目でミシンをかける。

2 裏右前持出し表面に右前持出し裏ボアと面ファスナーソフト面を縫いとめる。

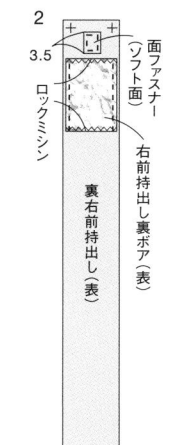

3 表、裏持出しを中表に合わせ、つけ側以外の3辺を縫う。角は縫い代を斜めにカットする。

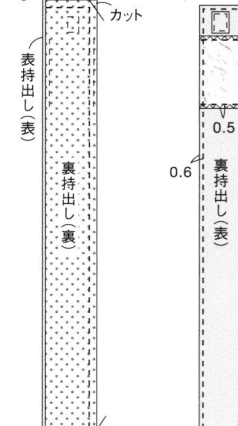

4 表に返してアイロンで整え、ステッチをかける。裏ボアの上下にもステッチをかけておく。

13 裏身頃を縫い合わせる

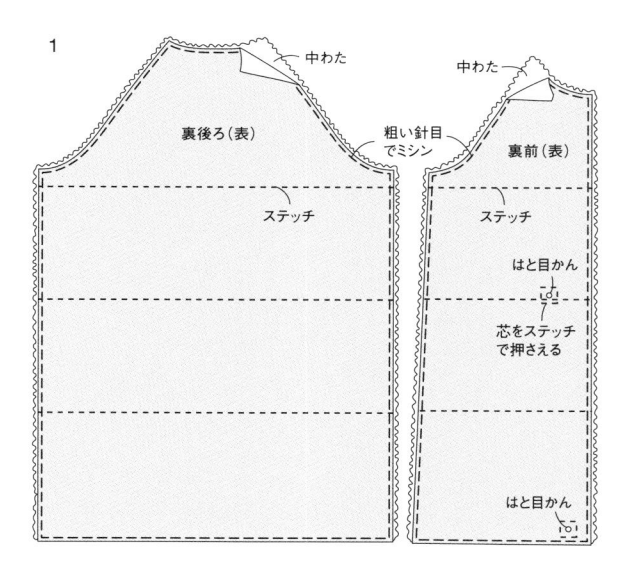

裏後ろ身頃、裏前身頃とも、裏面に中わたを合わせ、横に3本ステッチをかけ、周囲の縫い代に粗い針目でミシンをかける。前身頃のウエストと裾のはと目位置は、接着芯の回りをステッチで押さえ、はと目かんをつける。

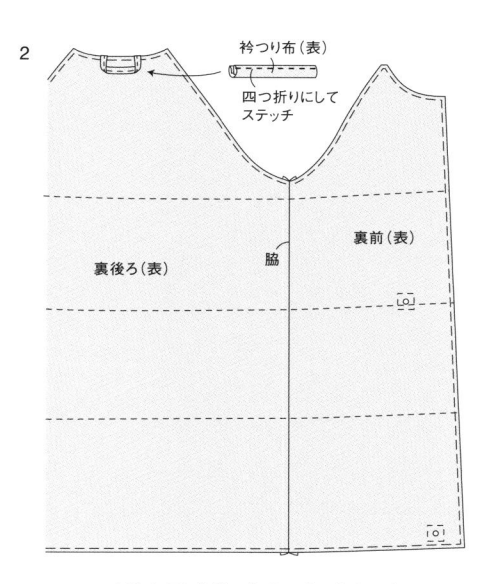

裏前身頃と裏後ろ身頃の脇を中表に合わせて縫い、縫い代を割る。衿ぐりの後ろ中心には、衿つり布を仮どめしておく。

14 裏袖を縫い合わせる

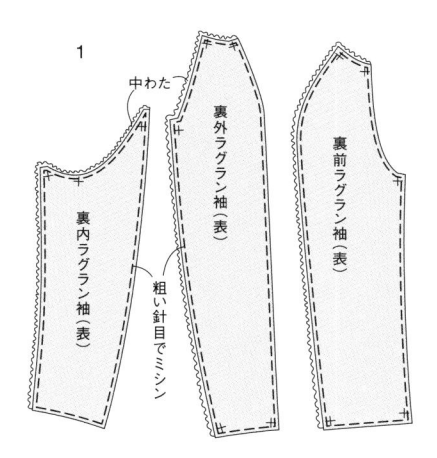

1. 各裏袖の裏面に中わたを重ね、周囲の縫い代に粗い針目でミシンをかける。

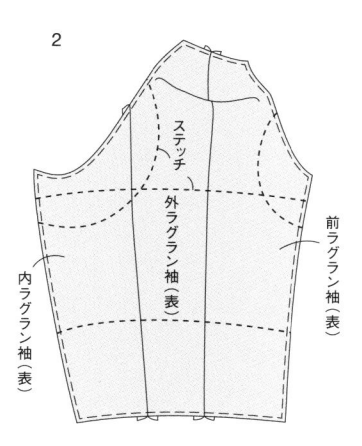

2. 外ラグラン袖と内ラグラン袖、外ラグラン袖と前ラグラン袖を縫い合わせて縫い代を割る。中わたを押さえるステッチをかける。

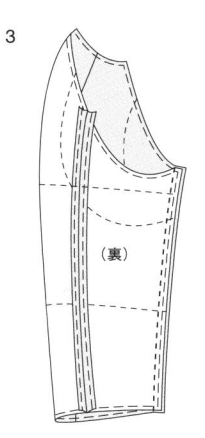

3. 袖下を中表に合わせて縫い、縫い代を割る。

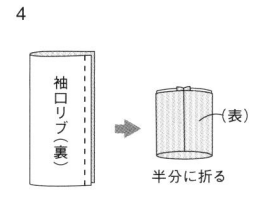

4. 袖口リブを中表に折って袖下を縫い、外表に半分に折る。

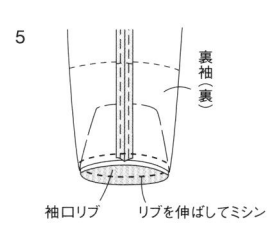

5. 裏袖の袖口に袖口リブを中表に合わせ、リブを伸ばしながらミシンをかける。

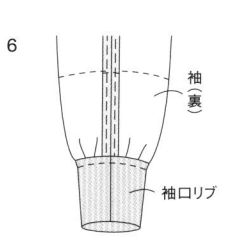

6. 袖口リブを表に返し、縫い代を袖側に倒して整える。

16 内側のフードを縫い合わせる

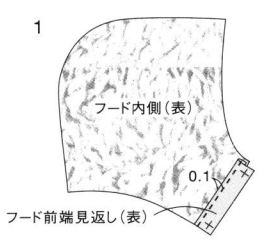

1
フード内側とフード前端見返しを縫い合わせる。縫い代は見返し側に倒し、ステッチをかける。

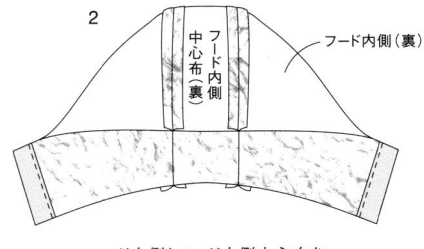

2
フード内側とフード内側中心布を縫い合わせて縫い代を割る。

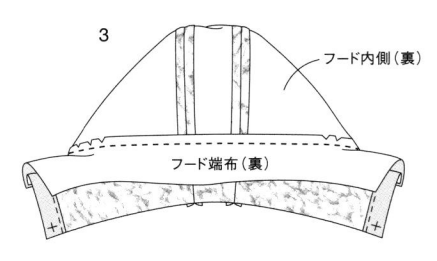

3
フード内側の口にフード端布をつける。

18 表身頃と裏身頃を縫い合わせる

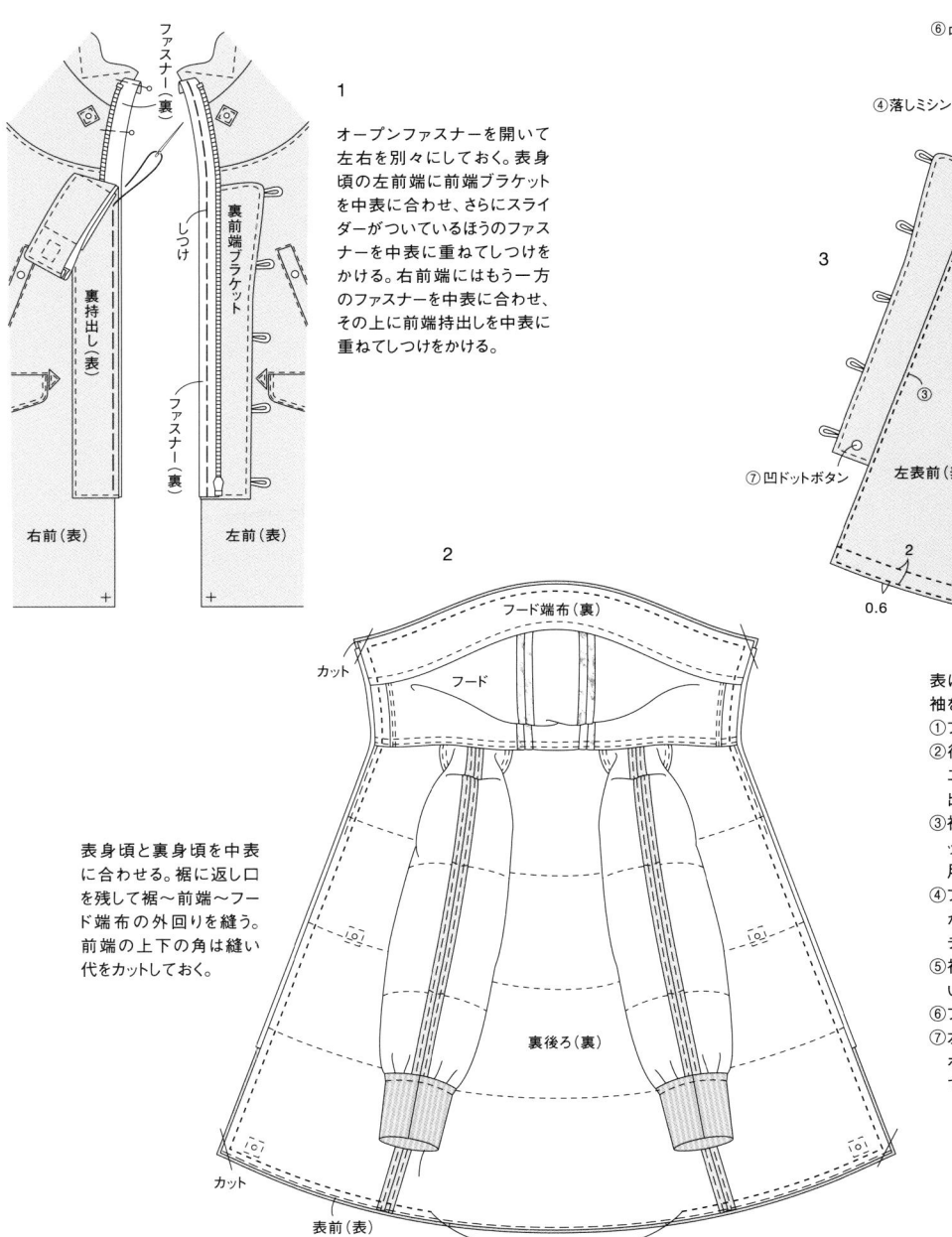

1
オープンファスナーを開いて左右を別々にしておく。表身頃の左前端に前端ブラケットを中表に合わせ、さらにスライダーがついているほうのファスナーを中表に重ねてしつけをかける。右前端にはもう一方のファスナーを中表に合わせ、その上に前端持出しを中表に重ねてしつけをかける。

2
表身頃と裏身頃を中表に合わせる。裾に返し口を残して裾〜前端〜フード端布の外回りを縫う。前端の上下の角は縫い代をカットしておく。

3
表に返して表身頃と裏身頃、表袖と裏袖を外表にして整える。
①フードつけ縫い代を中とじする。
②後ろ当て布にひもを通し、裏身頃ウエストのはと目かんから表側にひもを出してから、返し口をまつる。
③裾〜前端〜フード端布の回りにステッチをかけ、裾にはもう1本ひも通し用のステッチをかける。
④フード端布つけ縫い目に落しミシンをかけ、フードにもひも通し用のステッチをかける。
⑤袖口見返しの端を、リブニットつけ縫い代の際にまつりつける。
⑥フード端布に凸ドットボタンをつける。
⑦左前端のブラケットの裾には凹ドットボタンをつける。それと位置を合わせて、右前端に凸ドットボタンをつける。

21 取り外しフード端ファーを作る

1
フード端ファー右(表)
フード端ファー左(裏)

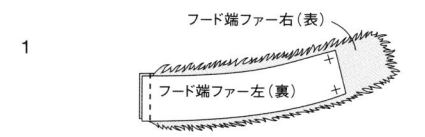

フード端ファーの左右を中表に合わせて後ろ中心を縫う。縫い代は割っておく。

2
面ファスナー(ハード面)　4cmの丸ゴムを二つ折り
フード端ファー裏布(表)

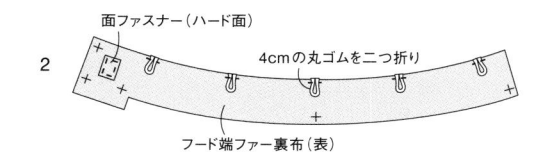

フード端ファー裏布の表面に、フードをとめるためのループ(4cmの丸ゴムを二つ折り)を縫い代に仮どめする。右端には面ファスナーハード面をミシンで縫いとめる。

3 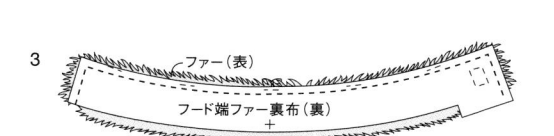
ファー(表)
フード端ファー裏布(裏)

ファーと裏布を中表に合わせて外回りを縫う。

4
ループ
裏布(表)
土台つけ止り
縫い代をくるんでまつる
ファー(表)

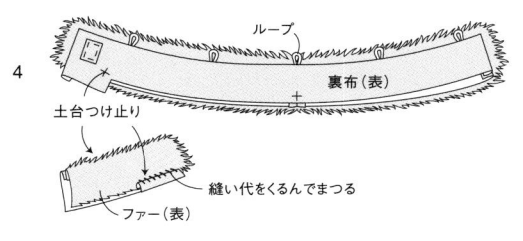

ファーを表に返して形を整え、右端の土台つけ止りから端までのファーの縫い代を、裏布でくるんでまつる。

5
中表
フード端ファー土台布(裏)

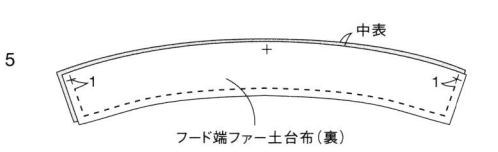

フード端ファー土台布2枚を中表に合わせ、つけ側以外の外回りを縫うが、端は出来上りの1cm手前で縫い止める。

6
裏土台布(裏)
0.1ステッチ　表土台布(表)

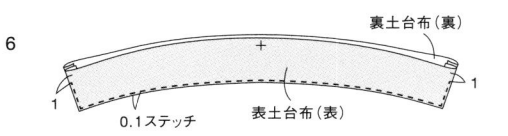

土台布を表に返してアイロンで整え、外回りにステッチをかける。

7
ファー(表)
土台布(裏)　裏土台布をよける

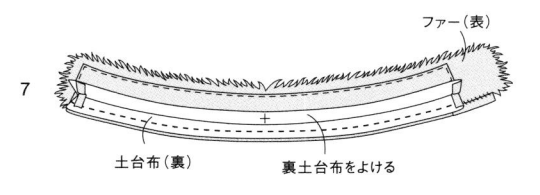

土台布と4のファーを中表に合わせ、裏土台布をよけて縫う。

8
裏布(表)
凹ドットボタン　裏土台布(表)

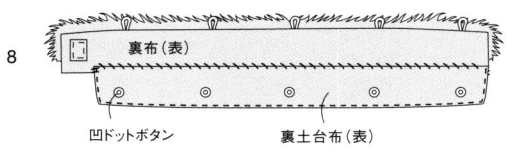

縫い代を土台布側に倒して整え、裏土台布の縫い代を折ってまつる。土台布には凹ドットボタンをつける。

no. 7 & 8　M-65 type Field Jacket
M-65タイプ フィールドジャケット　p.24, 26

● 使用パターン（D面：作品の打合せに合わせた左パターン）
前身頃　前見返し　後ろ身頃　後ろアクションプリーツ布
後ろアクションプリーツ見返し　ウエストひも通し当て布　肩章　胸フラップ
胸ポケット　腰フラップ　腰ポケット片玉縁布　腰ポケット向う布
袋布　衿　衿ファスナーあき見返し　フード　外袖・裏外袖
内袖・裏内袖袖口見返し　袖口タブ　裏前身頃　裏後ろ身頃

● 縫い方順序
1　肩章、袖口タブを作る。→図
2　左前身頃の裾縫い代、裏前身頃、フード前端に、
　　ひも通し用のボタンホールを作る。
3　胸ポケットを作ってつける。→図
4　腰ポケットを作る。→図
5　後ろ身頃の袖ぐりに、
　　後ろアクションプリーツ布をつける。→図
6　肩と脇を縫う。
　　①前身頃と後ろ身頃を中表に合わせ、肩と脇を縫う。
　　②肩縫い代は前側に、脇縫い代は後ろ側に倒し、
　　　それぞれステッチを2本かける。
7　ウエストひも通し当て布をつける。→図
8　袖を作る。→図
9　袖をつける。
　　①身頃の袖ぐりに袖を中表に合わせ、
　　　肩に肩章をはさんで袖つけミシンをかける。
　　②縫い代を身頃側に倒し、ステッチをかける。
10　裏身頃を縫い合わせる。
　　①左前見返しだけに、前端に凸ドットボタンをつける。
　　②裏前身頃と前見返しを縫い合わせ、
　　　縫い代を前身頃側に倒してステッチを2本かける。
　　③肩を縫い、縫い代を前側に倒してステッチを2本かける。
　　④脇を縫い、縫い代を前側に倒してステッチを2本かける。
11　裏袖を縫い合わせる。
　　①裏内袖のタックをたたみ、裏外袖と縫い合わせる。
　　　縫い代は外袖側に倒す。
　　②袖下を縫い、縫い代を内袖側に倒す。
12　裏身頃に裏袖をつける。
13　前端を縫い、袖口の始末をする。→図
14　裾の始末をする。→図
15　前端にオープンファスナーをつける。→図
16　フードを作る。
　　①ダーツ、タックを縫う。
　　　ダーツ分は後ろ側に、タック分は前端側に倒す。
　　②フードの中央を縫い合わせる。縫い代は2枚一緒に
　　　ロックミシンで始末し、左側に倒してステッチを2本かける。
　　③フード前端の縫い代を三つ折りにしてステッチをかける。
　　④フードの衿ぐり縫い代にロックミシンをかける。
17　衿を作る。→図
18　衿をつける。
　　①身頃の衿ぐりに表衿を中表に合わせて衿つけミシンをかける。
　　②縫い代を衿側に倒し、裏衿の縫い代を折って
　　　端にステッチをかけ、縫いとめる。
　　③衿の外回りにステッチをかける。
19　前端～衿外回りにステッチをかける。
20　フード、ウエスト、裾に綿コードを通す。
　　綿コードの端にはループエンドをつける。
21　肩にボタンをつける。

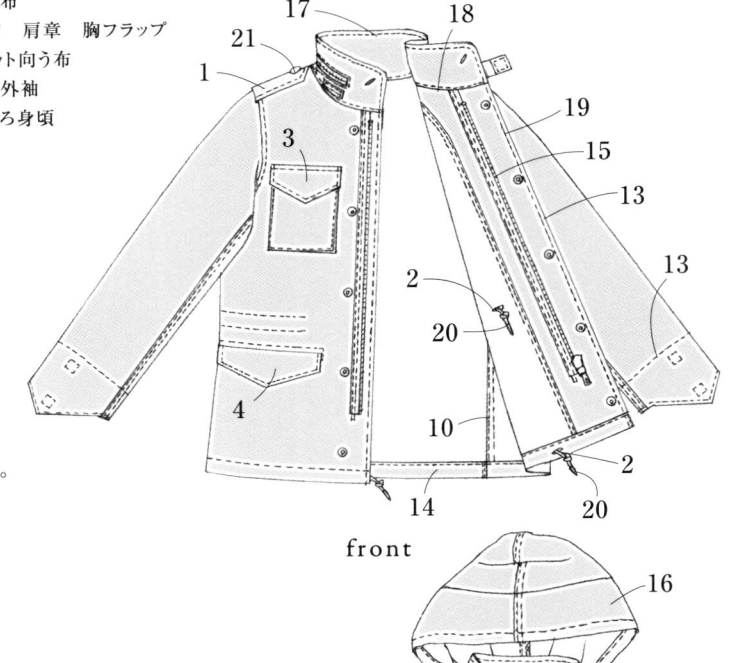

● サイズ表（単位はcm）

	サイズ 名称	S	M	L
ヌード寸法	身長	155〜160	160〜170	170〜180
	胸回り	86〜92	90〜96	94〜100
	ウエスト	74〜80	78〜84	82〜88
出来上り寸法	着丈	65	67	73
	胸回り	97.5	100.5	108.5
	ウエスト	96.5	99.5	107.5
	ヒップ	105	108	116
	袖丈	54.5	56.5	60

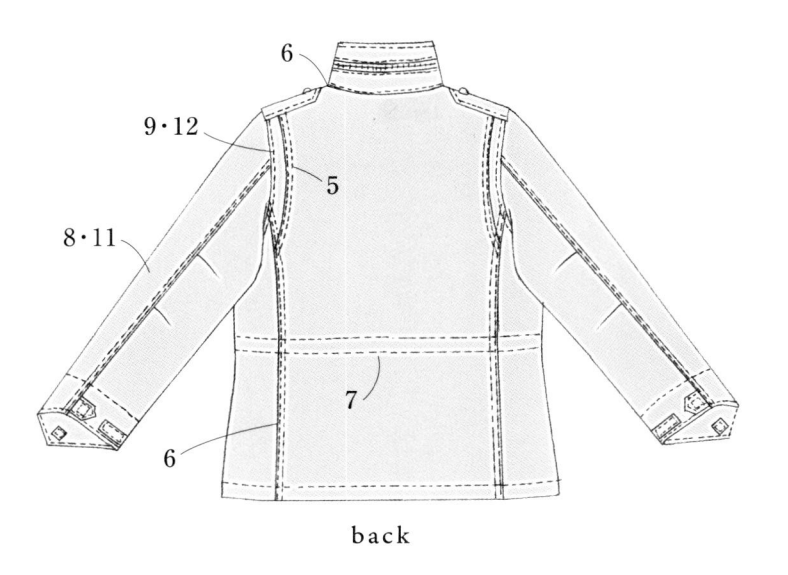

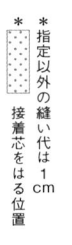

back

裁合せ図
表布

別布（タフタ）
フード
3
1.5
80cm
50cm

＊指定以外の縫い代は1cm
＊接着芯をはる位置

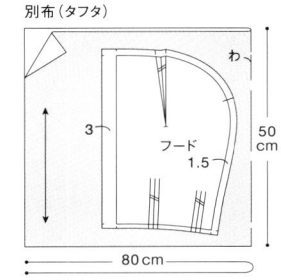

裏布（スレキ）
102cm幅
200・220cm

110cm幅
310・330cm

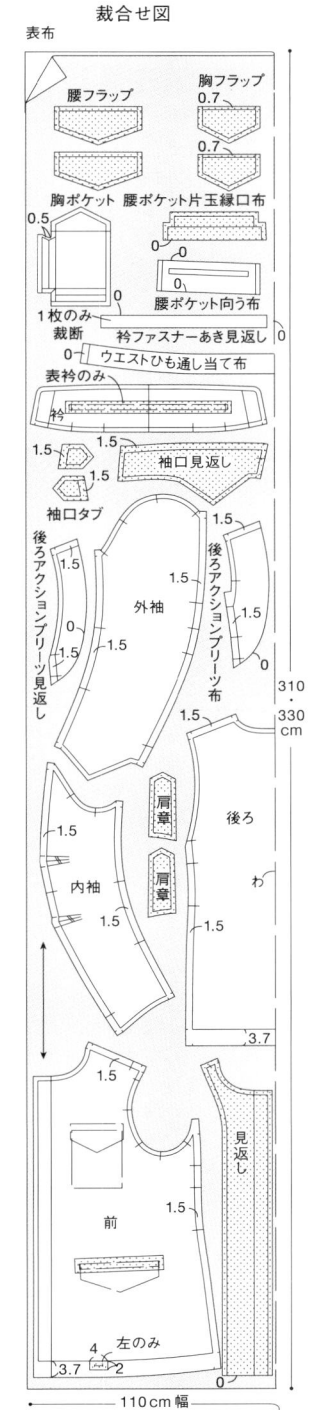

●使用量
- 表布（p.34）＝110cm幅
  （S、M）3m10cm、（L）3m30cm
- 別布（ポリエステルタフタ）＝80×50cm
- 裏布（スレキ）＝102cm幅
  （S、M）2m、（L）2m20cm
- 接着芯＝90cm幅
  （S、M）80cm、（L）90cm
- オープンファスナー＝50cm1本
- ファスナー＝34cm1本（衿用）
- 綾織りテープ＝2.5cm幅8cm（衿のタブ用）
- 面ファスナー＝2.5cm幅10cm（衿用）／
  2cm幅15cm（袖口用）
- 綿コード＝太さ0.4cm／1m15cm（裾用）／
  1m（ウエスト用）／80cm（フード用）
- ループエンド＝6個
  （ウエスト内ひも用・裾ひも用・フード用）
- ボタン＝直径1.8cm2個（肩章用）
- ドットボタン＝直径1.2cm9組み

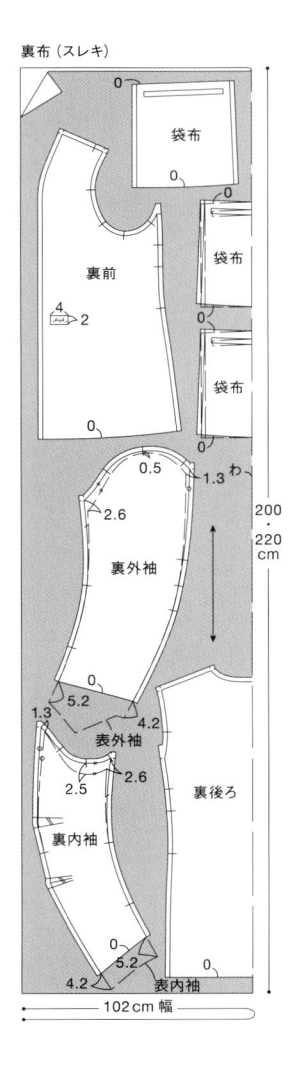

1 肩章、袖口タブを作る

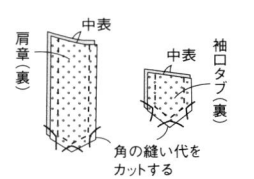

1 肩章、タブとも2枚を中表に合わせ、外回りを縫い、角の縫い代をカットする。

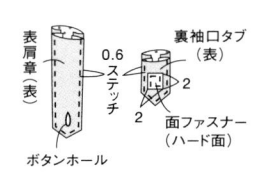

2 肩章、タブとも表に返してアイロンで整え、ステッチをかける。次に肩章にはボタンホールを作り、タブは裏タブ側に面ファスナーのハード面を縫いとめる。

3 胸ポケットを作ってつける

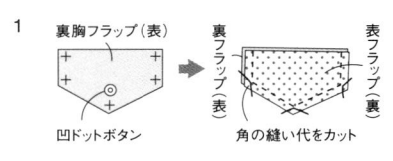

1 裏フラップに凹ドットボタンをつけ、表フラップと中表に合わせて外回りを縫う。角は縫い代をカットしておく。

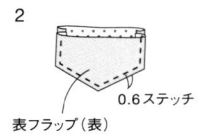

2 フラップを表に返してアイロンで整え、外回りにステッチをかける。

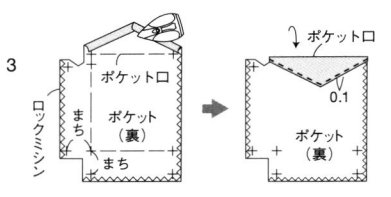

3 胸ポケット布の両サイドと底の縫い代にロックミシンをかける。次にポケット口見返しの縫い代を折り、さらにポケット口から見返しを折って端にステッチをかける。

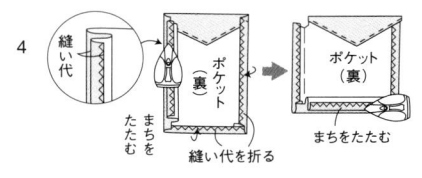

4 ポケットの両サイドと底の縫い代をアイロンで折ってから、脇と底のまちをたたんでアイロンで整える。

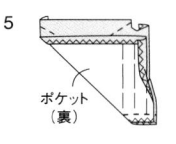

5 ポケットのまちの底の角を中表に合わせて縫う。

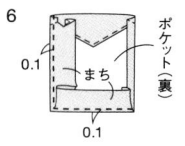

6 まちの折り山にステッチをかける。

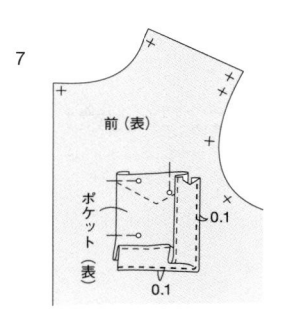

7 胸ポケットを前身頃のつけ位置にまち針でとめ、脇側と底側のまちの端を縫いとめる。

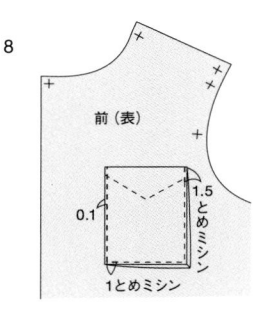

8 底のまちをたたんでポケットの前中心側をとめる。底は角から1cmぐらいだけ、3〜4回重ねてミシンで縫いとめる。脇側もまちをたたみ、ポケット口から1.5cmぐらいだけ3〜4回重ねてミシンでとめる。

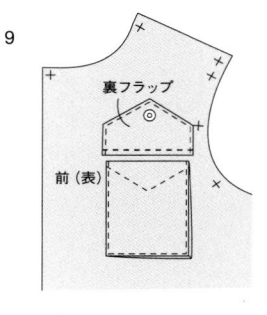

9 フラップをポケットの上のつけ位置に中表に合わせて縫う。

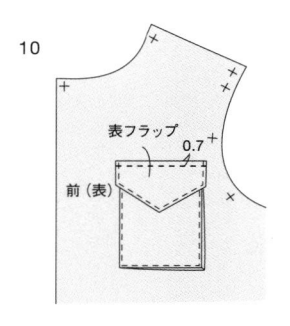

10 フラップを表に返し、ステッチをかける。

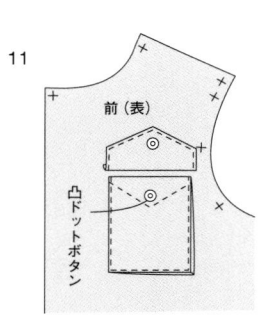

11 フラップの凹ドットボタンと位置を合わせて、胸ポケットに凸ドットボタンをつける。

4 腰ポケットを作る

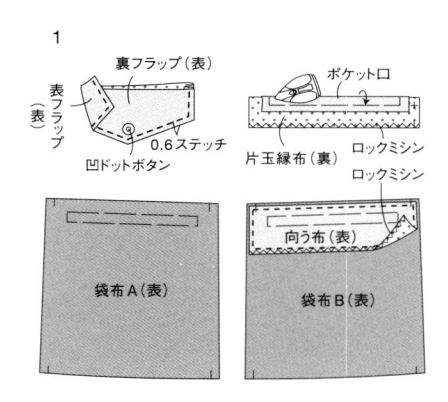

1
腰フラップは胸フラップと同様に作る。片玉縁布は下端にロックミシンをかけてポケット口をアイロンで折る。向う布は下端にロックミシンをかけ、向う側につく袋布Bの表面に重ねて縫いとめる。

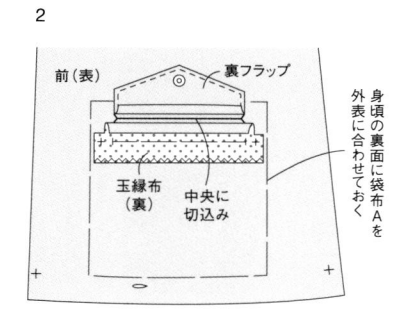

2
p.52-3～5を参照して、玉縁位置に玉縁布、フラップを縫いとめ、切込みを入れる。

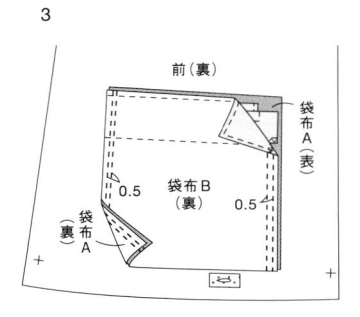

3
p.52-6～9を参照して玉縁、フラップを整え、袋布Aに袋布Bを中表に合わせ、両サイドを縫う。

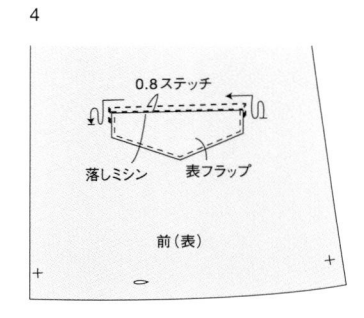

4
身頃の表面からフラップつけ縫い目に落しミシンをかける。次に玉縁の両端～フラップの上側にステッチをかける。玉縁の両端はしっかり返し縫いをしておく。

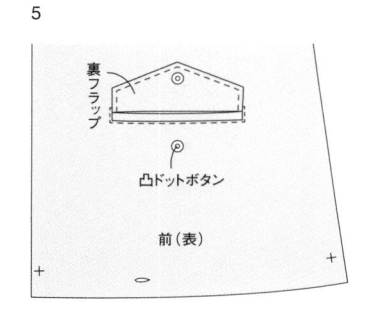

5
裏フラップの凹ドットボタンと位置を合わせて、前身頃に凸ドットボタンをつける。凸ドットボタンは袋布Aと前身頃だけにとめつける。

5 後ろ身頃に後ろアクションプリーツ布をつける

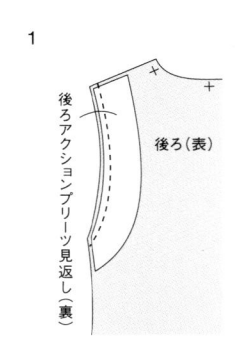

1
後ろ身頃と後ろアクションプリーツ見返しを中表に合わせて縫う。

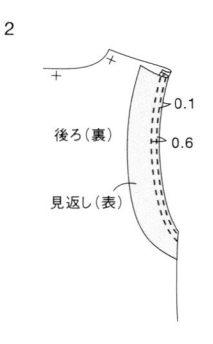

2
見返しを身頃の裏面に返してアイロンで整え、ステッチをかける。

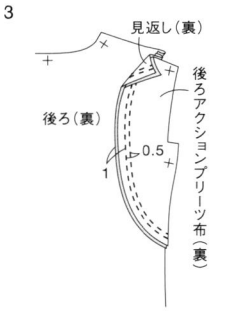

3
身頃裏面の見返しに、後ろアクションプリーツ布を中表に重ね、2枚の見返し奥を縫い合わせる。

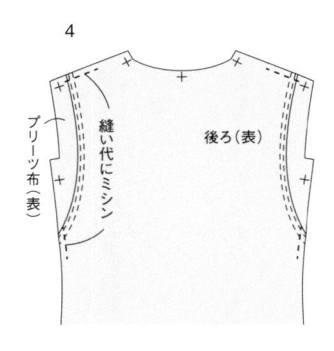

4
プリーツ布と見返し布を、身頃の肩と脇縫い代に縫いとめる。

7 ウエストひも通し当て布をつける

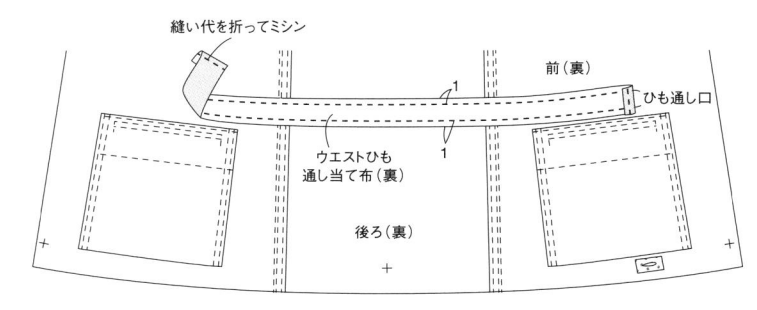

ひも通し当て布の両端の縫い代を裏面に折ってミシンをかけてから、当て布を身頃裏面のつけ位置に、裏面を上にして重ね、当て布の上下にステッチをかける。

8 袖を作る

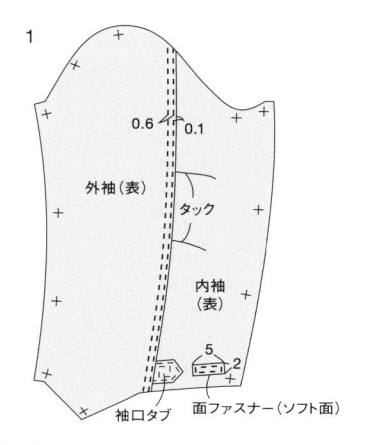

1 内袖の袖口に面ファスナーのソフト面を縫いとめ、タックをたたんで（タック分は上側に倒す）、外袖と中表に合わせ、袖口タブをはさんで縫う。縫い代は外袖側に倒し、ステッチを2本かける。

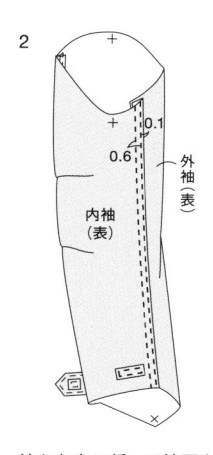

2 袖を中表に折って袖下を縫う。縫い代は内袖側に倒し、ステッチを2本かける。

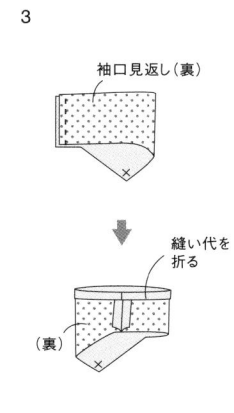

3 袖口見返しを中表に折って縫い、輪にする。上側の縫い代は裏面に折っておく。

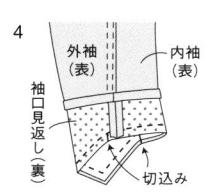

4 袖口に見返しを中表に合わせて縫い、角の縫い代に切込みを入れる。

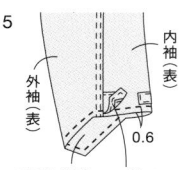

5 見返しを袖の裏面に返し、アイロンで袖口を整え、タブをよけてステッチをかける。

13 前端を縫い、袖口の始末をする

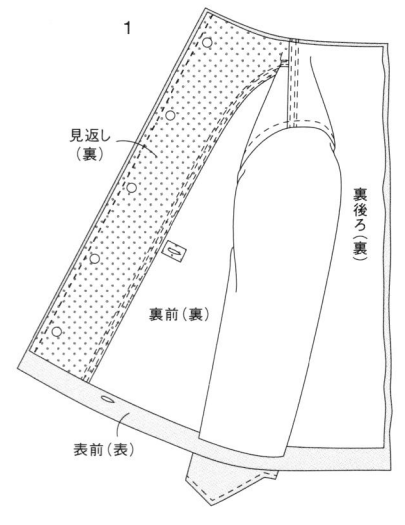

1 表身頃と裏身頃の前端を中表に合わせて縫う。

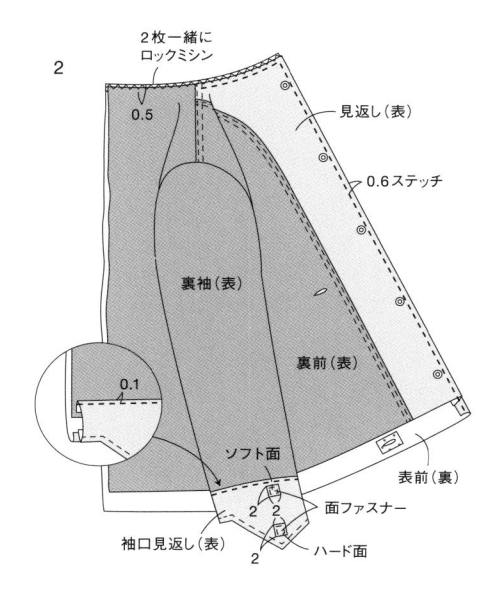

2 表に返して身頃、袖を外表に合わせて整え、前端にステッチをかける。次に衿ぐりの縫い代に押さえミシンをかけ、縫い代端に2枚一緒にロックミシンをかける。袖口は、裏袖の袖口を見返しの中に入れ、見返し端をステッチで押さえ、見返し側に面ファスナーを縫いとめる。

14 裾の始末をする

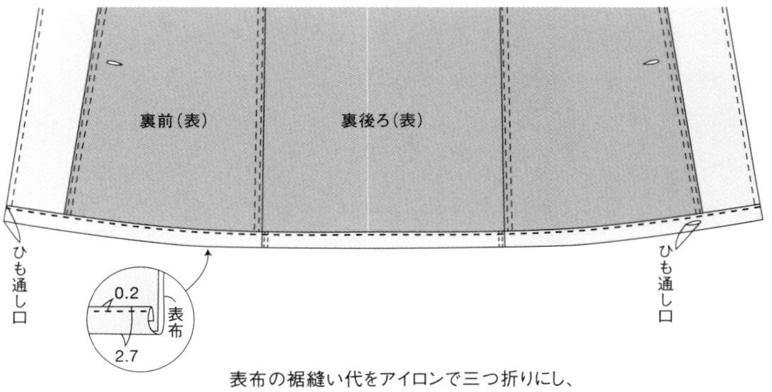

表布の裾縫い代をアイロンで三つ折りにし、裏布の裾をはさんでミシンで押さえる。

15 前端にオープンファスナーをつける

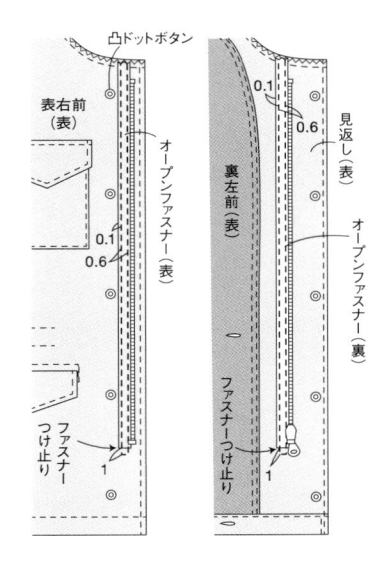

オープンファスナーは開いて、左右を別々にしておく。左前の見返し側には、スライダーのついているファスナーを中表に合わせて2本のステッチで縫いとめる。右前には身頃表面にもう一方のファスナーを表を上に重ね、2本のステッチで縫いとめる。次に、左前見返しの凹ドットボタンと位置を合わせて、右前身頃表面に凸ドットボタンをつける。

17 衿を作る

1 表衿のファスナー位置に、衿ファスナーあき見返しを中表に合わせて縫い、中央に切込みを入れる。

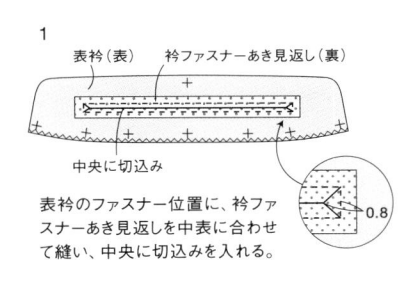

2 見返しを衿の裏面に返し、アイロンで整える。

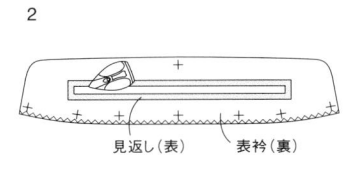

3 2の窓にファスナーを合わせ、周囲にステッチをかけて縫いとめる。

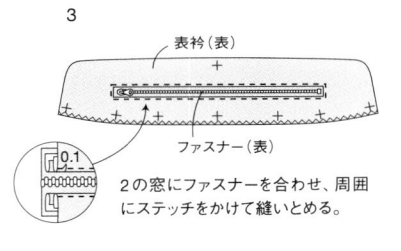

4 綾織りテープの端を面ファスナーのソフト面で縫いはさんでタブを作り、表衿の左前端に縫いとめる。面ファスナーのハード面は表衿の2か所に縫いとめる。

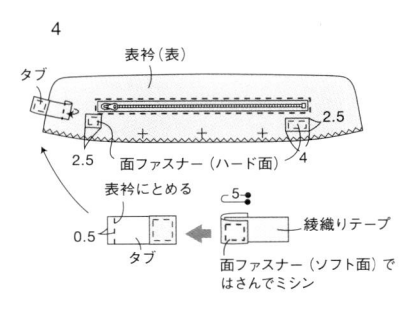

5 裏衿と4の表衿を中表に合わせて外回りを縫う。衿先の丸みの部分は縫い代を0.5cmぐらいにカットしておく。

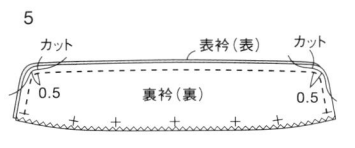

6 衿を表に返してアイロンで整え、衿先にボタンホールを作る。

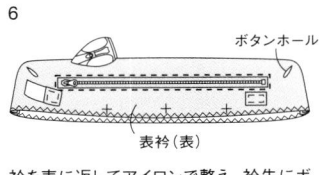

7 ファスナーを開き、そこから2枚の衿の間にフードを差し込む。フードの表面と表衿の裏面を合わせて重ね、裏衿をよけてフードと表衿のつけ側縫い代をミシンで縫いとめる。

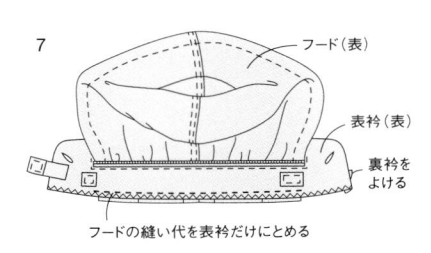

no.9 MA-1 type Flight Jacket
MA-1タイプ フライトジャケット p.28

●使用パターン（D面：作品の打合せに合わせた左パターン）
後ろ身頃・裏後ろ身頃　前身頃・裏前身頃　右前持出し
前端裾切替え布　フラップ　ポケット口布　ポケット向う布
ポケット向う袋布　ポケット手前袋布　内袖　外袖・裏外袖
左袖ポケット　左袖ポケットペンホルダー下
左袖ポケットペンホルダー上　衿リブ　前裾リブ　後ろ裾リブ
袖口リブ　裏内袖　内ポケット口布　内ポケット向う布
内ポケット手前袋布　内ポケット向う袋布　衿つり布

●縫い方順序
1　前身頃にポケットを作る。→図
2　肩ダーツを縫う。
　　縫い代は中心側に倒してステッチをかける。
3　肩を縫う。
　　縫い代は後ろ側に倒してステッチを2本かける。
4　脇を縫う。
　　縫い代は後ろ側に倒してステッチをかける。
5　裾に前裾切替え布と裾リブをつける。→図
6　左袖ポケットを作り、左袖につける。→p.63
7　袖を作る。
　　①内袖にギャザーを寄せ、
　　　外袖と内袖の後ろ側の切替え線を縫い、
　　　縫い代を外袖側に倒し、ステッチを2本かける。
　　②内袖と外袖の前側の切替え線を縫い、
　　　縫い代を外袖側に倒してステッチを2本かける。
　　③袖口リブの袖下を縫い合わせて輪にする。
　　④輪になった袖口リブを外表に二つ折りにし、
　　　2枚一緒に袖口に中表に合わせて縫う。
　　　このとき、袖口に合わせてリブを伸ばして縫う。
8　袖をつける。
　　縫い代は身頃側に倒し、身頃袖ぐりの
　　ステッチ止り〜止りまでステッチをかける。
9　右前持出しを作る。→図
10　裏布に中わたを合わせる。→図
11　裏前身頃にポケットを作る。→図
12　裏後ろ身頃の肩ダーツを縫う。
　　縫い代は中心側に倒してステッチをかける。
13　衿つり布をつける。
　　衿つり布は1cm幅の四つ折りにし、
　　後ろ身頃に縫いとめる。
14　裏身頃の肩を縫う。
　　縫い代は割り、縫い目の両側にステッチをかける。
15　裏身頃の脇を縫い、裾にステッチをかける。→図
16　裏袖を縫い合わせる。
　　裏外袖と裏内袖を縫い合わせ、縫い代を割って
　　縫い目の両側にステッチをかける。
17　裏身頃に裏袖をつける。
　　縫い代は割り、縫い目の両側にステッチをかける。
18　表身頃と裏身頃を縫い合わせる。→図

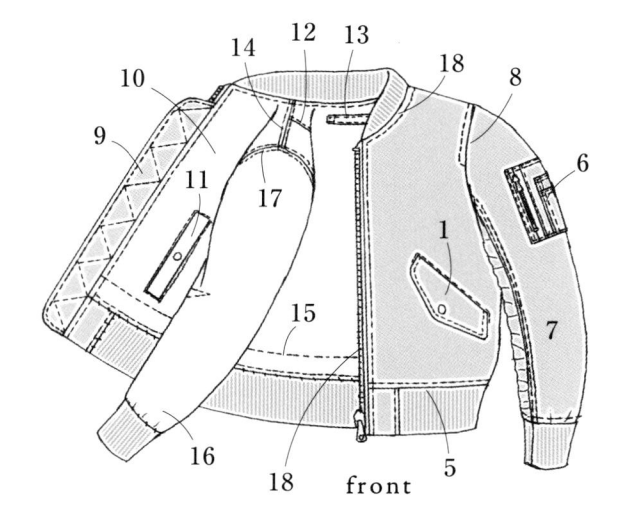

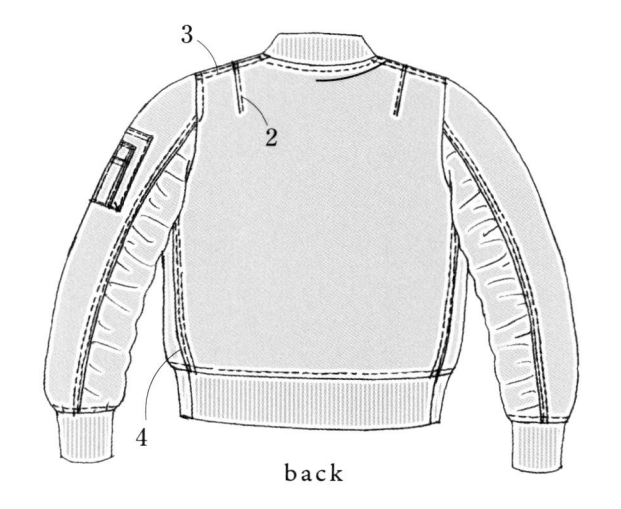

●サイズ表（単位はcm）

	名称 ＼ サイズ	S	M	L
ヌード寸法	身長	155〜160	160〜170	170〜180
	胸回り	86〜92	90〜96	94〜100
	ウエスト	74〜80	78〜84	82〜88
出来上り寸法	着丈	56	58	62
	胸回り	104	107	113
	ウエスト	82.5	85.5	91.5
	袖丈	57	59	63

裁合せ図

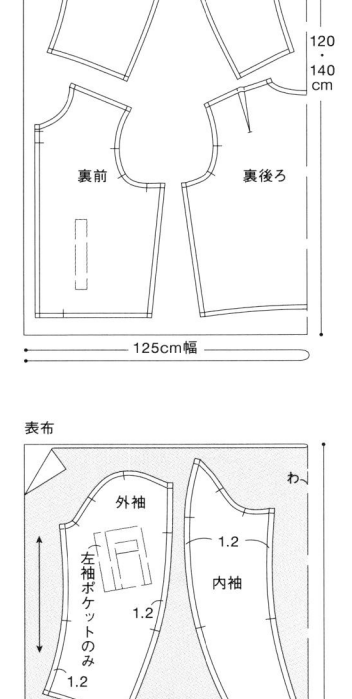

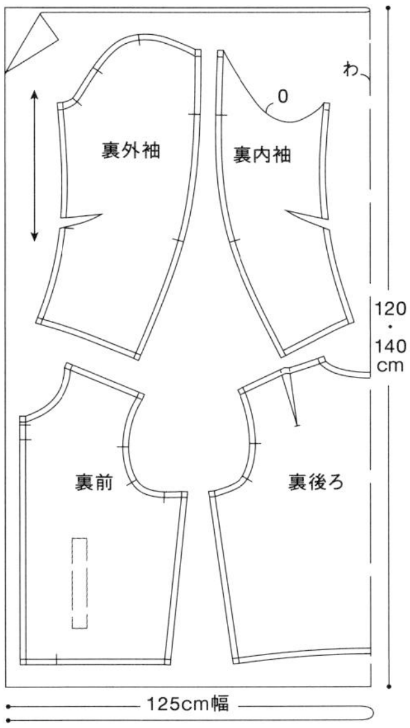

リブニット

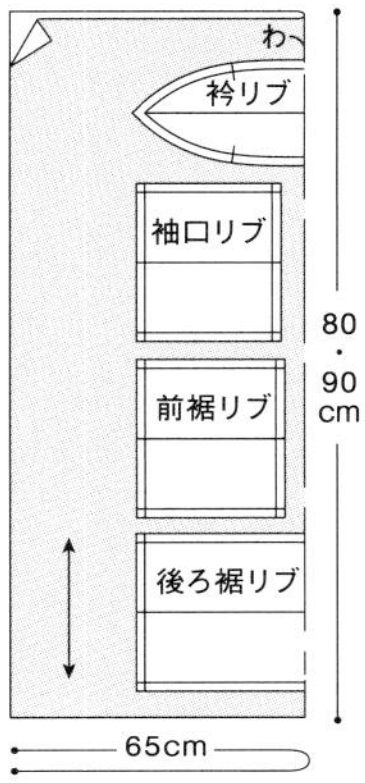

衿リブ
袖口リブ
前裾リブ
後ろ裾リブ

80・90cm
65cm

スレキ

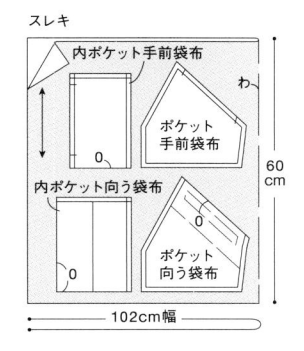

内ポケット手前袋布
ポケット手前袋布
内ポケット向う袋布
ポケット向う袋布

60cm
102cm幅

裏布

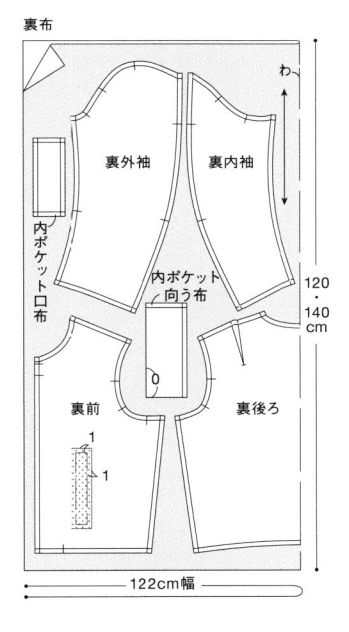

裏外袖　裏内袖
内ポケット口布
内ポケット向う布
裏前　裏後ろ

120・140cm
122cm幅

中わた(厚手)

裏外袖　裏内袖
裏前　裏後ろ

120・140cm
125cm幅

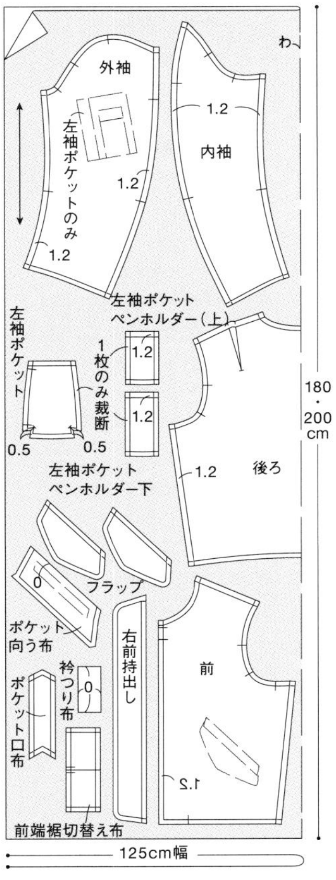

中わた(薄手)

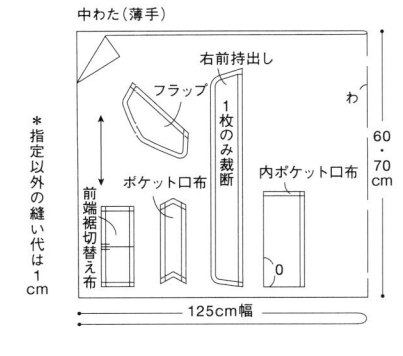

フラップ
1枚のみ裁断
ポケット口布　内ポケット口布
右前持出し
前端裾切替え布

60・70cm
125cm幅

*指定以外の縫い代は1cm

表布

外袖
左袖ポケットのみ
内袖
左袖ポケットペンホルダー(上)
左袖ポケット
1枚のみ裁断
左袖ポケットペンホルダー下
後ろ
フラップ
ポケット向う布
右前持出し
衿つり布
ポケット口布
前
前端裾切替え布

180・200cm
125cm幅

●使用量
- 表布(p.35)＝125cm幅
  (S、M)1m80cm、(L)2m
- リブニット＝65cm×
  (S、M)80cm、(L)90cm
- 裏布＝122cm幅
  (S、M)1m20cm、(L)1m40cm
- スレキ＝102cm幅60cm
- 中わた(厚手)＝125cm幅
  (S、M)1m20cm、(L)1m40cm
- 中わた(薄手)＝125cm幅
  (S、M)60cm、(L)70cm
- オープンファスナー＝49cm1本
- ファスナー(左袖ポケット)＝12cm1本
- ドットボタン＝直径1.5cm4組み

1 前身頃にポケットを作る

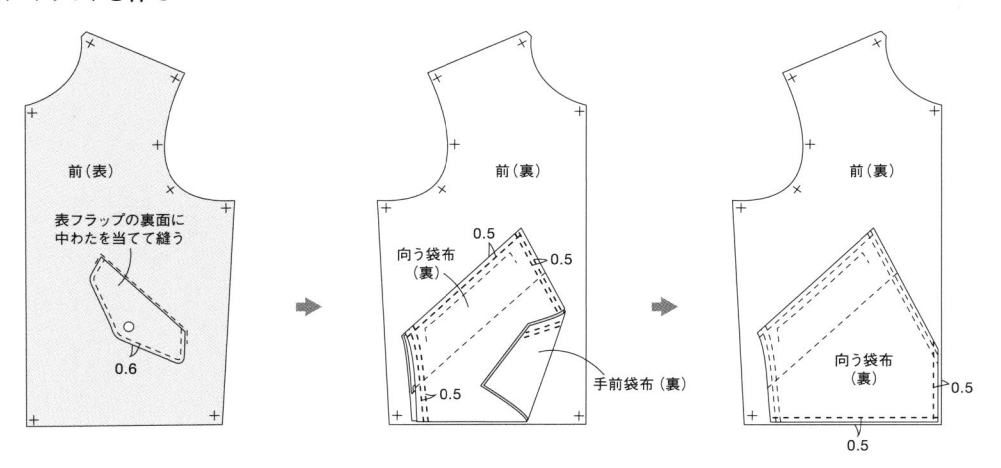

p.44-3を参照してポケットを作る。2枚の袋布の周囲にミシンをかけるときは、まず脇側〜上端〜前端側の斜めの部分に、2枚一緒にミシンをかける。次に袋布の前端と裾を身頃の前端、裾の縫い代に縫いとめる。

5 裾に前裾切替え布と裾リブをつける

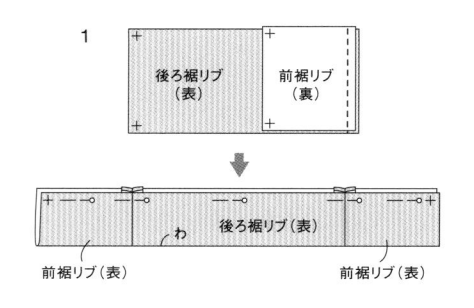

1 前後の裾リブを中表に合わせて脇を縫い、縫い代を割って外表に二つ折りにする。

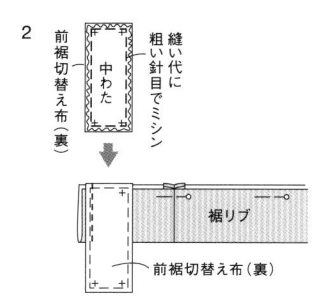

2 前裾切替え布は裏面に中わたを重ね、周囲の縫い代に粗い針目でミシンをかけておく。二つ折りにした裾リブと前裾切替え布を中表に合わせて縫う。縫い代は切替え布側に倒して整える。

3 身頃の裾に2の裾切替え布と裾リブを中表に合わせて縫う。このとき裾リブは身頃の裾に合わせて伸ばしながらミシンをかける。

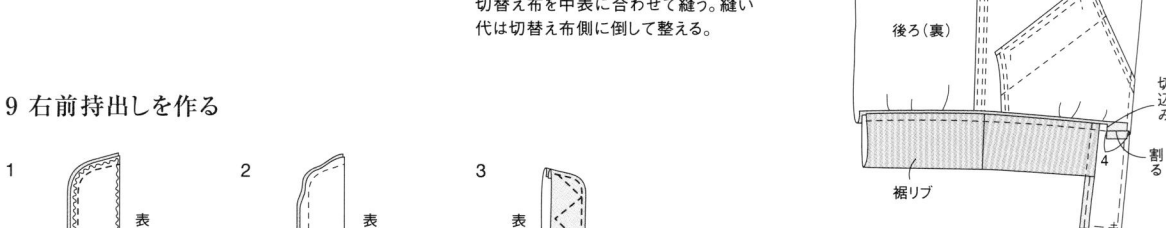

4 縫い代を身頃側に倒してアイロンで整えるが、前端から4cmぐらいは裾切替え布の縫い代に切込みを入れて、縫い代を割る。

9 右前持出しを作る

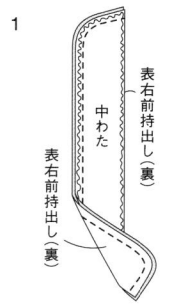

1 表、裏右前持出しを中表に合わせ、表持出しの裏面に中わたを重ねて、3枚一緒に外回りを縫う。

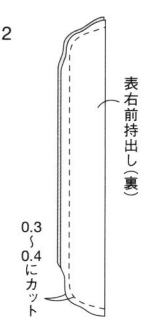

2 カーブの部分の縫い代を細くカットする。

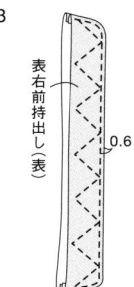

3 表に返してアイロンで整え、外回りにステッチをかけ、さらに全体にジグザグにステッチをかける。

10 裏布に中わたを合わせる

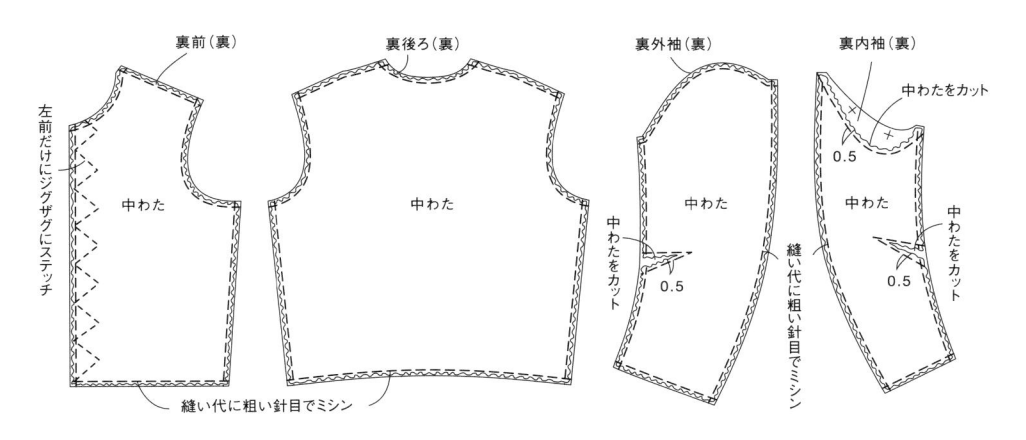

裏前(裏) 裏後ろ(裏) 裏外袖(裏) 裏内袖(裏)

左前だけにジグザグにステッチ

中わた

縫い代に粗い針目でミシン

中わたをカット
0.5

裏前身頃、裏後ろ身頃、裏外袖、裏内袖の裏面に中わたを重ね、周囲の縫い代に粗い針目でミシンをかける。
さらに左前身頃は、前端にジグザグにミシンをかける。

11 裏前身頃にポケットを作る

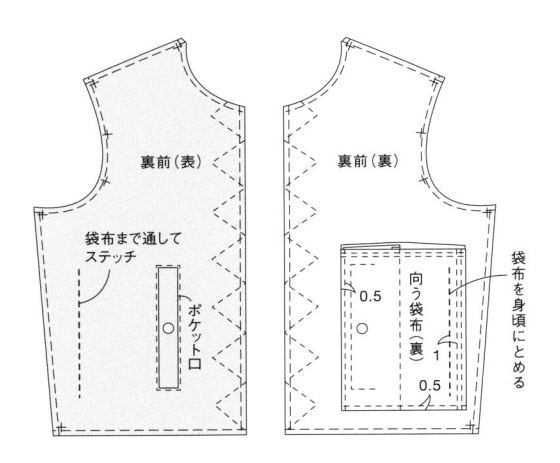

裏前(表) 裏前(裏)

袋布まで通してステッチ
ポケット口
向う袋布(裏)
袋布を身頃にとめる
0.5
1
0.5

p.62-2を参照して内ポケットを作る。袋布の周囲にミシンをかけてポケットを仕上げたら、最後に袋布の脇側にステッチをかけて袋布を身頃に縫いとめる。

15 裏身頃の脇を縫う

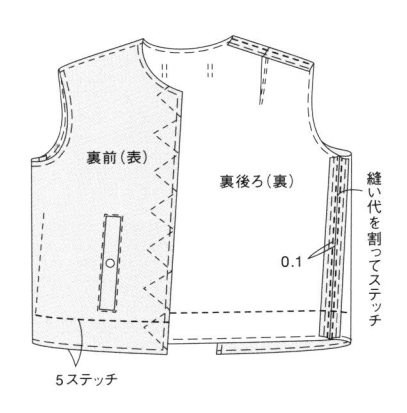

裏前(表) 裏後ろ(裏)

縫い代を割ってステッチ
0.1
5ステッチ

裏前身頃と裏後ろ身頃の脇を中表に合わせて縫い、縫い代をアイロンで割る。縫い目の両側にはステッチをかける。次に裾の5cm上にステッチをかける。

18 表身頃と裏身頃を縫い合わせる

1

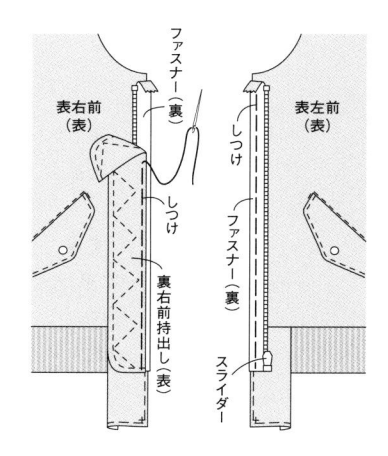

オープンファスナーは開いて左右を別々にしておく。表左前身頃の前端に、オープンファスナーのスライダーのついているほうを中表に合わせ、しつけをかける。表右前にはもう一方のオープンファスナーを中表に合わせ、さらに右前持出しを重ねてしつけをかける。

2

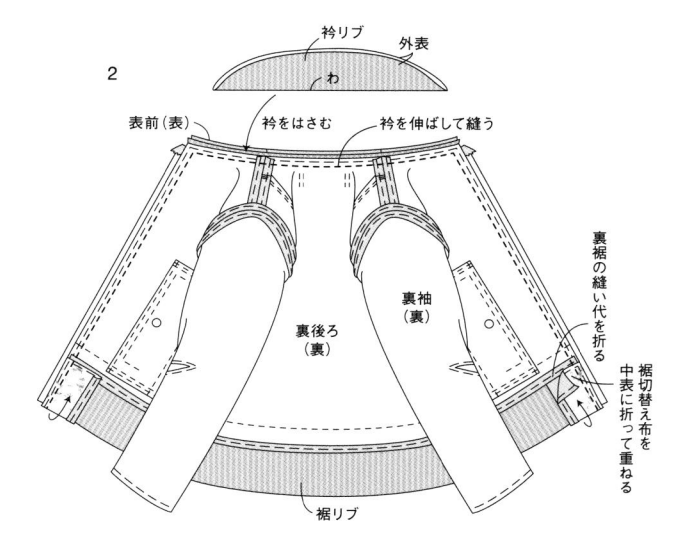

表身頃と裏身頃を中表に合わせ、衿ぐりには外表に二つ折りにした衿をはさむ。前端の裾は裾切替え布を中表に折り、前端〜衿ぐりを縫う。このとき衿ぐりは、衿リブを身頃に合わせて伸ばしながらミシンをかける。

3

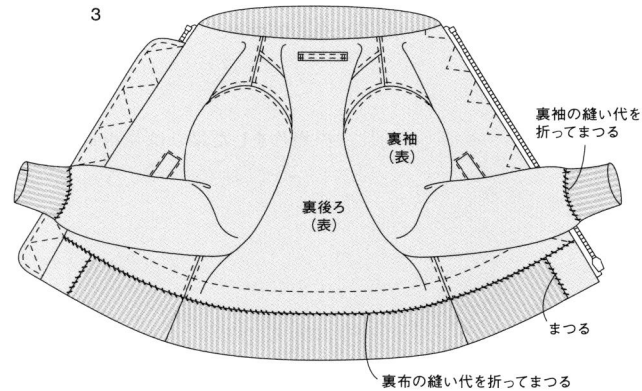

表に返して表身頃と裏身頃、表袖と裏袖を外表に整える。裏身頃の裾、裾前端切替え布の端を、裾リブつけミシン目の際にまつりつける。裏袖の袖口も縫い代を折って袖口リブにまつる。

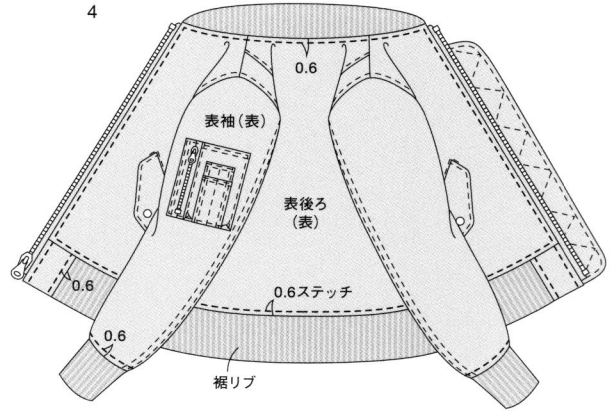

4

前端〜衿ぐり、裾、袖口に表側からステッチをかける。

Regulation of a pattern
着丈と袖丈の調節のしかた

操作1

操作2

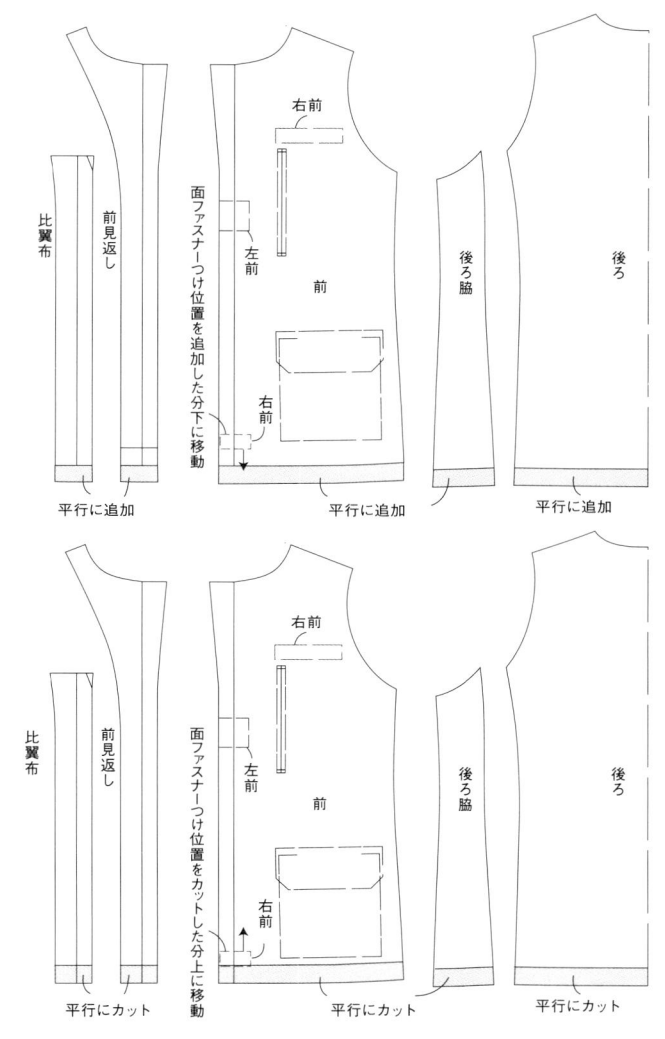

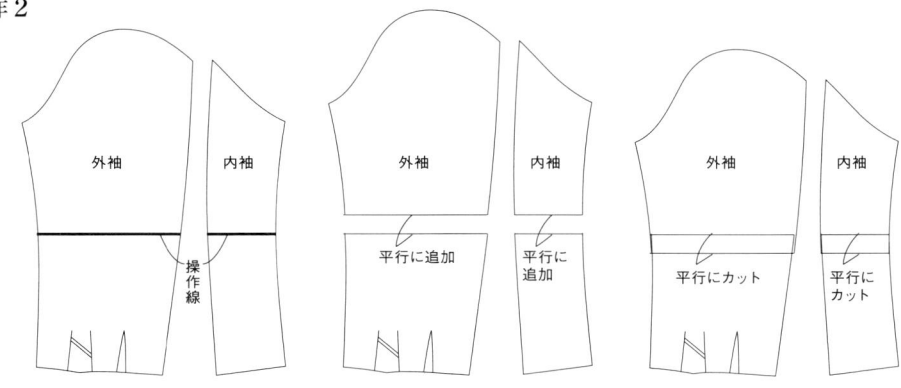

図はno.1のフランス軍F2タイプ フィールドジャケットの着丈と袖丈の調整方法です。

操作1は着丈をのばす場合もカットする場合も、裾線で平行に追加、カットします。ポケットの位置などもバランスを見て変更します。今回の作品は、必要パターン数も多いので、なるべくボタンの位置などを変えずにすむ寸法にし、5cmを限度にしましょう。また、ライナーつきのデザインの場合は、ライナーのパターンも表布の操作した寸法と同寸法を表布と同様に必ず裾線で操作します。

操作2は袖丈は袖口にタックやあき、タブなどのデザインがあるため、袖口での操作は避けます。まずエルボーライン（EL）に操作線を入れます。のばす場合は操作線で平行に切り開き、カットする場合は、操作線でパターンを重ねます。どちらの場合も5cmを限度にしましょう。

着丈、袖丈の操作をした場合は使用量も変わってきますので、注意してください。

嶋﨑隆一郎　Ryuichiro Shimazaki

文化服装学院アパレルデザイン科卒業後、"無印良品"のメンズデザインを担当。その後多くのアパレル企業のファッションディレクターやデザイナーを経て現在はレザーブランドの「Rawtus/ロゥタス」とオンラインブランドの「YEllOW.」のデザイナーとして活動。また、ファッションデザイン以外にもJR東日本、JR九州、日本郵便、NISSANなどの企業制服のデザインも数多く手掛け、ミラノ万博の日本館アテンダントコスチュームのデザインも手掛ける。そのデザインの範囲はファッションだけにとどまらずグラフィックデザイナーとしても活動している。

Rawtus : https://rawtus.com/　　YEllOW. : https://yellow-web.jp/

アートディレクション＆ブックデザイン　広瀬 開（FEZ）
ブックデザイン　広瀬 匡（FEZ）
撮影　安田如水（文化出版局）
パターン製作　原田美行（ブレスト・コーポレーション）、山本淳一、上野和博
縫製協力　スペディーレ、服部アパレル
作り方解説　百目鬼尚子
イラスト　岡本あづさ
デジタルトレース　山崎舞華
校閲　向井雅子
編集　平山伸子（文化出版局）

【好評既刊】

男のシャツの本
メンズシャツの基本型のデザインばかり、シャツにまつわる話を交えながら、布地違いを含む30点を紹介。S、M、L、XLの実物大パターン2枚つき。

男のコートの本
本格的なメンズコートの本。トレンチコート、ピーコート、ダッフルコート、ステンカラーコートのベーシックなデザインを、布地違いを含めた13点で紹介。S、M、L、XLの実物大パターン2枚つき。

ミリタリーウェアの本

2013年11月11日　第1刷発行
2021年12月15日　第4刷発行

著者　嶋﨑隆一郎
発行者　濱田勝宏
発行所　学校法人文化学園 文化出版局
　　　　〒151-8524 東京都渋谷区代々木3-22-1
　　　　TEL 03-3299-2489（編集）
　　　　TEL 03-3299-2540（営業）
印刷・製本所　株式会社文化カラー印刷

© Ryuichiro Shimazaki 2013　Printed in Japan
本書の写真、カット及び内容の無断転載を禁じます。

・本書のコピー、スキャン、デジタル化等の無断複製は著作権法上での例外を除き、禁じられています。
　本書を代行業者等の第三者に依頼してスキャンやデジタル化することは、たとえ個人や家庭内での利用でも著作権法違反になります。
・本書で紹介した作品の全部または一部を商品化、複製頒布、及びコンクールなどの応募作品として出品することは禁じられています。
・撮影状況や印刷により、作品の色は実物と多少異なる場合があります。ご了承ください。

文化出版局のホームページ　http://books.bunka.ac.jp/